Éditions Usborne

Le grand livre des dinosaures

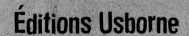

Éditions Usborne

Le grand livre des dinosaures

Avec liens Internet

Susanna Davidson,
Stephanie Turnbull et Rachel Firth

Maquette : Andrea Slane, Laura Parker,
Nelupa Hussain et Glen Bird

Illustrations : Luis Rey, Todd Marshall,
Barry Croucher, Glen Bird et Ian Jackson
Experts-conseil : Darren Naish et David Martill

Pour l'édition française : Traduction : Muriel de Grey
Rédaction : Renée Chaspoul et Helen Thawley

Sommaire

Liens Internet

Cet ouvrage propose tout un choix de sites Web intéressants, qui te permettront d'approfondir tes connaissances sur les dinosaures ainsi que les endroits du monde où on les a trouvés. Pour te connecter à tous ces sites, rends-toi sur le site Web Quicklinks d'Usborne à **www.usborne-quicklinks.com/fr** et clique sur le titre du livre, puis sur la page qui t'intéresse.

 Liens Internet

Tu trouveras ici la description d'un site qui se rapporte à la double page. Pour le lien vers ce site, connecte-toi à :
www.usborne-quicklinks.com/fr

Disponibilité des sites

Les sites recommandés sur le site Quicklinks d'Usborne sont régulièrement revus et mis à jour. Quand un site n'est plus accessible, nous le remplaçons, si possible, par un autre équivalent. Pour cette raison, il arrive que les sites proposés sur Quicklinks ne correspondent pas toujours à ceux du livre.

Il arrive qu'un message apparaisse à l'écran t'indiquant que le site recherché n'est pas disponible. Cela peut être provisoire, et tu peux toujours réessayer un peu plus tard ou même le lendemain.

Matériel nécessaire

Il suffit d'un ordinateur standard et d'un navigateur (logiciel permettant aux internautes de trouver les sites créés sur le Web) pour accéder à la plupart des sites Web proposés dans ce livre.

Tu auras peut-être également besoin de programmes additionnels, appelés modules externes ou plug-in, qui permettent de consulter les sites Web contenant du son, des animations ou des vidéos et images en 3D. Si tu accèdes à un site sans le module externe nécessaire, un message apparaît à l'écran indiquant comment le télécharger. Si cela n'est pas le cas, connecte-toi sur notre site Quicklinks et clique sur « Besoin d'aide ». Tu y trouveras des liens qui te permettront de télécharger gratuitement tous ces modules.

Un livre de référence

Faut-il posséder un ordinateur pour utiliser ce livre ? Pas du tout. On peut le lire sans consulter Internet, car c'est à lui seul un superbe ouvrage de référence qui permettra au lecteur de se plonger dans le monde captivant des dinosaures.

La sécurité sur Internet

• Demande à tes parents ou à ton tuteur la permission de te connecter à Internet. Si tu utilises l'ordinateur de quelqu'un d'autre, vérifie d'abord que tu as la permission de te connecter à Internet.

• Si tu laisses un message sur le livre d'or ou la page message d'un site Web, ne divulgue ni ton adresse e-mail, ni ton nom, ni ton adresse, ni ton numéro de téléphone.

• Si un site Web te demande de taper ton nom ou ton adresse e-mail pour te connecter ou t'inscrire, demande d'abord la permission d'une grande personne.

• Si tu reçois un e-mail d'une personne que tu ne connais pas, ne réponds pas.

• Ne conviens jamais d'un rendez-vous avec une personne rencontrée sur Internet.

Les images téléchargeables

Tu peux télécharger pour ton usage personnel (par exemple pour un devoir scolaire ou un projet quelconque) certaines images du livre (accompagnées du symbole ★) à partir de notre site Quicklinks. Tu en vois un exemple ci-contre.

★

Ces images sont sous copyright Usborne Publishing et ne doivent pas être utilisées dans un but commercial lucratif. Pour télécharger une image, connecte-toi sur le site Quicklinks des éditions Usborne et suis les instructions données.

Comment se servir des liens

Lorsque tu fais des recherches sur Internet, assure-toi que les sites contiennent des informations exactes et sérieuses. Les sites Web proposés dans cet ouvrage sont régulièrement revus, mais mieux vaut vérifier les renseignements donnés.

Tout organisme ou musée connus seront plus fiables qu'un site personnel, mais pas toujours ! Un site récemment mis à jour (voir la dernière date) contiendra aussi des informations plus exactes.

Tu peux te servir des sites proposés pour faire un devoir ou préparer un projet. Mais ne copie pas mot pour mot, essaie toujours d'exprimer les mêmes faits d'une manière bien à toi et cite toujours tes sources.

À l'attention des parents

Tous les sites que nous recommandons sont vérifiés et évalués régulièrement par les rédacteurs d'Usborne, qui mettent les liens Quicklinks d'Usborne à jour. Toutefois, le contenu d'un site Web peut changer inopinément et les éditions Usborne ne sauraient être tenues responsables du contenu de tout site autre que le leur.

Nous recommandons aux adultes d'encadrer les jeunes enfants lorsqu'ils utilisent Internet, de leur interdire l'accès aux salles de discussion (chat rooms) et d'installer un logiciel de filtrage Internet pour bloquer tout contenu indésirable.

Veillez à ce que vos enfants lisent et respectent les consignes de sécurité mentionnées ci-dessus. Pour toute information complémentaire, consultez la section « Besoin d'aide ? » du site Quicklinks des éditions Usborne, sur **www.usborne-quicklinks.com/fr**

Une faune extraordinaire

Il y a environ 240 millions d'années, bien avant les premiers hommes, un nouveau groupe d'animaux est apparu sur la Terre : les dinosaures. Certains étaient parmi les plus grands animaux terrestres qui aient jamais existé, d'autres parmi les plus féroces. Personne n'a jamais vu de dinosaures vivants, car tous ont disparu voilà 65 millions d'années.

Des reptiles pas comme les autres

Les dinosaures étaient des reptiles. Comme les crocodiles et les lézards, ils pondaient des œufs et avaient une peau écailleuse et imperméable. Toutefois, chez la plupart des reptiles, les pattes sont placées sur les côtés du corps, alors que chez les dinosaures, elles soutenaient le poids du corps par en dessous. Elles étaient donc plus puissantes que celles des autres reptiles.

Une grande diversité

Il existait de nombreuses espèces de dinosaures, certaines pas plus grosses qu'une poule, d'autres dépassant dix fois la taille d'un éléphant. Les dinosaures carnivores avaient la gueule armée de dents acérées, tandis que certains dinosaures végétariens possédaient un bec édenté. Il y avait des dinosaures à la face hérissée de cornes, d'autres dotés d'une crête sur la tête et d'autres encore au cou entouré d'une collerette.

PRÉCAMBRIEN

Les premiers animaux à corps mou

– 550 Ma

CAMBRIEN

Les premiers animaux à squelette

– 510 Ma

Les premiers végétaux terrestres

Les premiers poissons

ORDOVICIEN

– 440 Ma

Les premiers animaux terrestres

SILURIEN

– 408 Ma

Les premiers amphibiens

DÉVONIEN

– 362 Ma

Les premiers insectes volants

Tsintaosaurus arborait une crête osseuse sur la tête.

Carnotaurus possédait des cornes trapues.

Gallimimus avait un bec édenté.

À quelle époque vivaient-ils ?

Les dinosaures vivaient au *Mésozoïque*, une époque qui a duré de - 250 à - 65 millions d'années. Le *Mésozoïque* se divise en trois périodes : le *Trias* (époque à laquelle sont apparus les premiers dinosaures), le *Jurassique* et le *Crétacé*. Chaque espèce de dinosaure a vécu plusieurs millions d'années et de nouvelles espèces apparaissaient constamment. Les dinosaures ont dominé la Terre pendant 175 millions d'années et demeurent l'un des groupes d'animaux les plus vigoureux de tous les temps.

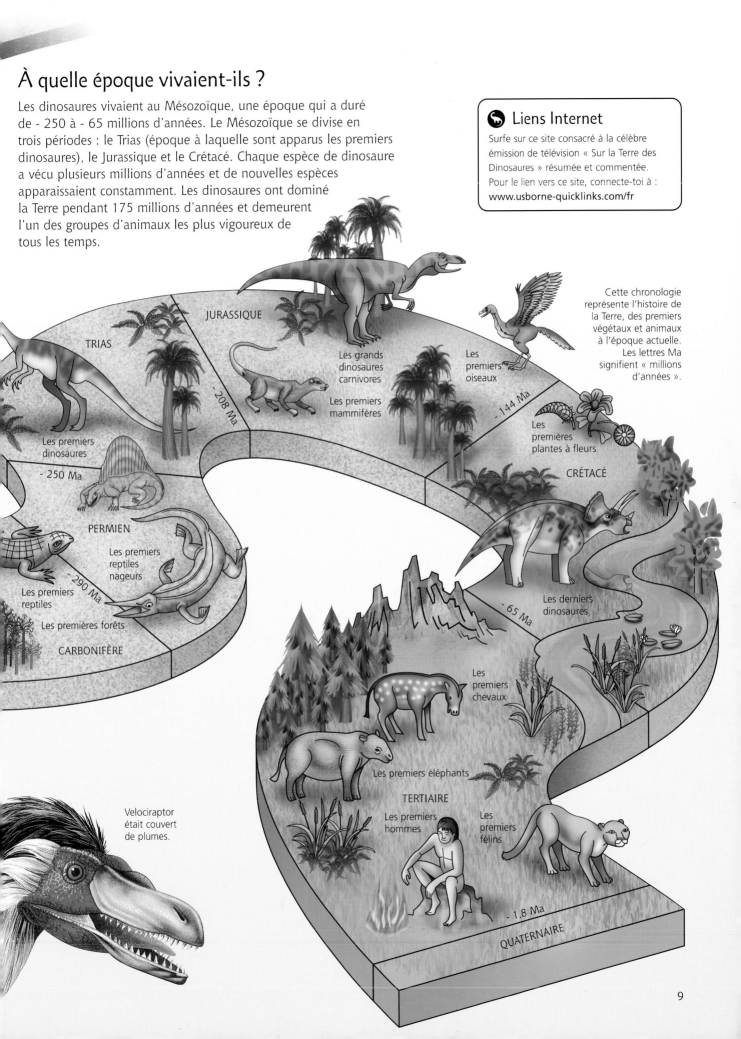

Liens Internet

Surfe sur ce site consacré à la célèbre émission de télévision « Sur la Terre des Dinosaures » résumée et commentée. Pour le lien vers ce site, connecte-toi à :
www.usborne-quicklinks.com/fr

Cette chronologie représente l'histoire de la Terre, des premiers végétaux et animaux à l'époque actuelle. Les lettres Ma signifient « millions d'années ».

TRIAS

JURASSIQUE

Les grands dinosaures carnivores

Les premiers oiseaux

- 208 Ma

Les premiers mammifères

- 144 Ma

Les premiers dinosaures

- 250 Ma

Les premières plantes à fleurs

CRÉTACÉ

PERMIEN

Les premiers reptiles nageurs

- 290 Ma

Les premiers reptiles

Les dernières dinosaures

- 65 Ma

Les premières forêts

CARBONIFÈRE

Les premiers chevaux

Les premiers éléphants

TERTIAIRE

Velociraptor était couvert de plumes.

Les premiers hommes

Les premiers félins

- 1.8 Ma

QUATERNAIRE

9

Classification des dinosaures

Jusqu'à présent, plus de 900 espèces de dinosaures ont été découvertes. Pour établir des liens de parenté entre elles, les scientifiques les divisent en catégories selon leurs caractéristiques communes.

Un bassin de lézard ou d'oiseau

Les dinosaures se divisent en deux grandes catégories : les saurischiens et les ornithischiens. Les saurischiens possédaient un bassin semblable à celui des lézards actuels. Le bassin des ornithischiens ressemblait à celui des oiseaux actuels.

Ce schéma représente les deux types de bassin des dinosaures, chacun composé de trois os différents.

Chez les ornithischiens, les os du pubis (en rose) sont tournés vers l'arrière.

Chez les saurischiens, les os du pubis sont tournés vers l'avant.

Le plus grand groupe

Les ornithischiens forment le plus grand groupe de dinosaures. Ils étaient tous herbivores et vivaient souvent en troupeau. Ils se divisent en cinq grands groupes : les stégosaures, les pachycéphalosaures, les ornithopodes, les céraptosiens et les ankylosaures.

Les ornithopodes étaient les ornithischiens les plus répandus. Certains, les plus petits des hypsilophodontidés, mesuraient seulement 1 m de long ; d'autres, les iguanodons et les hadrosaures, pouvaient atteindre 15 m.

Liens Internet

Pour essayer de s'y retrouver dans la classification des dinosaures... Pour le lien vers ce site, connecte-toi à : www.usborne-quicklinks.com/fr

Stegosaurus

Pachycephalosaurus

Triceratops

Ankylosaurus

Hypsilophodon

Les stégosaures avaient des plaques osseuses sur le corps. Pas très résistantes, elles servaient peut-être pour la parade nuptiale.

Les pachycéphalosaures possédaient un crâne épais, en forme de dôme. Ils étaient bipèdes et véloces.

Hypsilophodon était un ornithopode. Leurs bonnes dents leur permettaient de mâcher les végétaux. Ils cherchaient à manger au sol à quatre pattes, mais se déplaçaient aussi à deux pattes.

Comme la plupart des cératopsiens, Triceratops possédait une collerette osseuse à l'arrière du crâne et des cornes acérées à l'avant.

Les ankylosaures étaient les ornithischiens les mieux protégés. Ils avaient le corps couvert de plaques et de grosses épines osseuses.

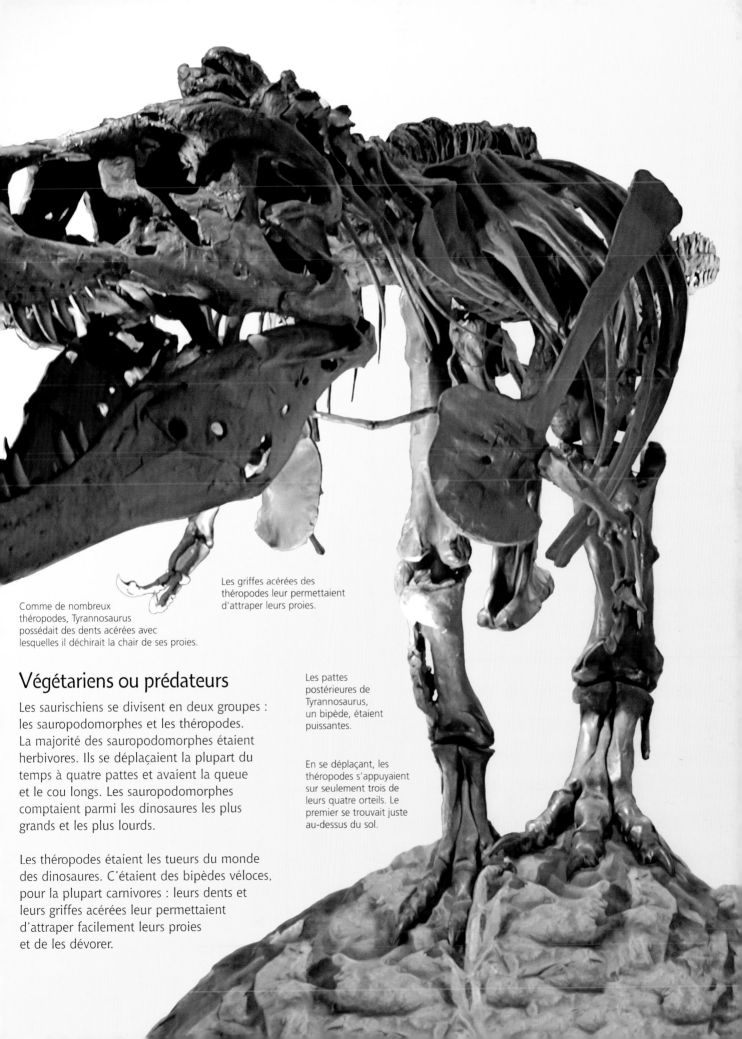

Comme de nombreux
théropodes, Tyrannosaurus
possédait des dents acérées avec
lesquelles il déchirait la chair de ses proies.

Les griffes acérées des
théropodes leur permettaient
d'attraper leurs proies.

Végétariens ou prédateurs

Les saurischiens se divisent en deux groupes :
les sauropodomorphes et les théropodes.
La majorité des sauropodomorphes étaient
herbivores. Ils se déplaçaient la plupart du
temps à quatre pattes et avaient la queue
et le cou longs. Les sauropodomorphes
comptaient parmi les dinosaures les plus
grands et les plus lourds.

Les théropodes étaient les tueurs du monde
des dinosaures. C'étaient des bipèdes véloces,
pour la plupart carnivores : leurs dents et
leurs griffes acérées leur permettaient
d'attraper facilement leurs proies
et de les dévorer.

Les pattes
postérieures de
Tyrannosaurus,
un bipède, étaient
puissantes.

En se déplaçant, les
théropodes s'appuyaient
sur seulement trois de
leurs quatre orteils. Le
premier se trouvait juste
au-dessus du sol.

Arbre généalogique

Ce tableau illustre les liens de parenté entre les différents groupes de dinosaures. L'animal représenté à la fin de chaque branche est un exemple des nombreuses espèces que contient chaque groupe.

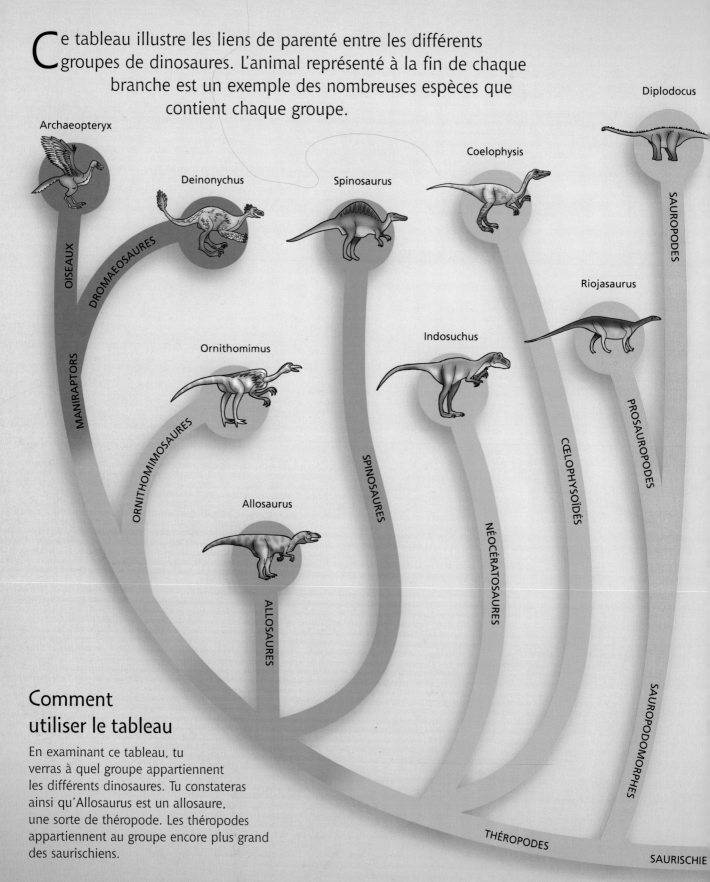

Archaeopteryx

Deinonychus

Spinosaurus

Coelophysis

Diplodocus

Ornithomimus

Indosuchus

Riojasaurus

Allosaurus

OISEAUX

DROMAEOSAURES

MANIRAPTORS

ORNITHOMIMOSAURES

ALLOSAURES

SPINOSAURES

NÉOCÉRATOSAURES

CŒLOPHYSOÏDÉS

PROSAUROPODES

SAUROPODES

SAUROPODOMORPHES

THÉROPODES

SAURISCHIE

Comment utiliser le tableau

En examinant ce tableau, tu verras à quel groupe appartiennent les différents dinosaures. Tu constateras ainsi qu'Allosaurus est un allosaure, une sorte de théropode. Les théropodes appartiennent au groupe encore plus grand des saurischiens.

12

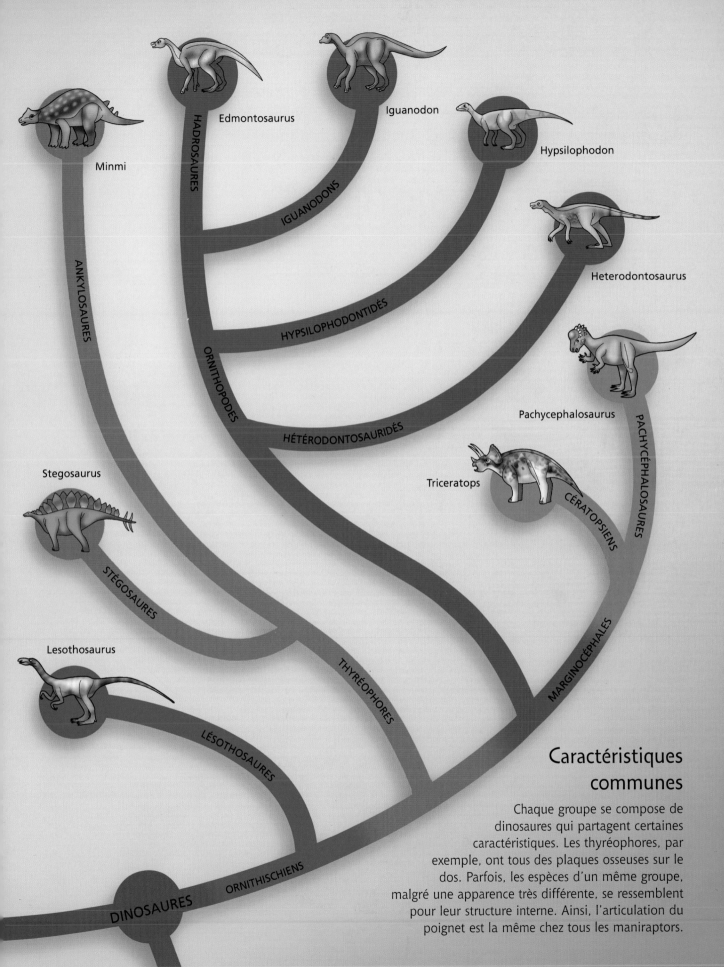

Edmontosaurus

Iguanodon

Minmi

Hypsilophodon

HADROSAURES

IGUANODONS

ANKYLOSAURES

Heterodontosaurus

ORNITHOPODES

HYPSILOPHODONTIDÉS

HÉTÉRODONTOSAURIDÉS

Pachycephalosaurus

PACHYCÉPHALOSAURES

Stegosaurus

Triceratops

STÉGOSAURES

CÉRATOPSIENS

Lesothosaurus

MARGINOCÉPHALES

THYRÉOPHORES

LÉSOTHOSAURES

DINOSAURES

ORNITHISCHIENS

Caractéristiques communes

Chaque groupe se compose de dinosaures qui partagent certaines caractéristiques. Les thyréophores, par exemple, ont tous des plaques osseuses sur le dos. Parfois, les espèces d'un même groupe, malgré une apparence très différente, se ressemblent pour leur structure interne. Ainsi, l'articulation du poignet est la même chez tous les maniraptors.

De fabuleux fossiles

Les restes de certains dinosaures ont été conservés dans des roches après leur mort. En étudiant ces vestiges, ou fossiles, les scientifiques peuvent déduire une foule d'informations sur ces animaux, bien qu'ils aient disparu il y a des millions d'années.

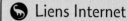 Liens Internet

L'explication du processus de fossilisation.
Pour le lien vers ce site, connecte-toi à :
www.usborne-quicklinks.com/fr

Des os enfouis

Les animaux se fossilisent rarement après leur mort. En général, le cadavre est dévoré et les os dispersés par d'autres animaux, ou bien il se décompose. Mais comme il y avait des millions de dinosaures, il en subsiste de nombreux fossiles. La fossilisation se produit lorsqu'un animal mort dans l'eau, ou à proximité, est enseveli rapidement sous des particules de boue et de sable, les sédiments.

Les plaques que possédait Stegosaurus le long du cou, du dos et de la queue lui donnaient l'air plus féroce et l'aidaient peut-être à attirer des partenaires.

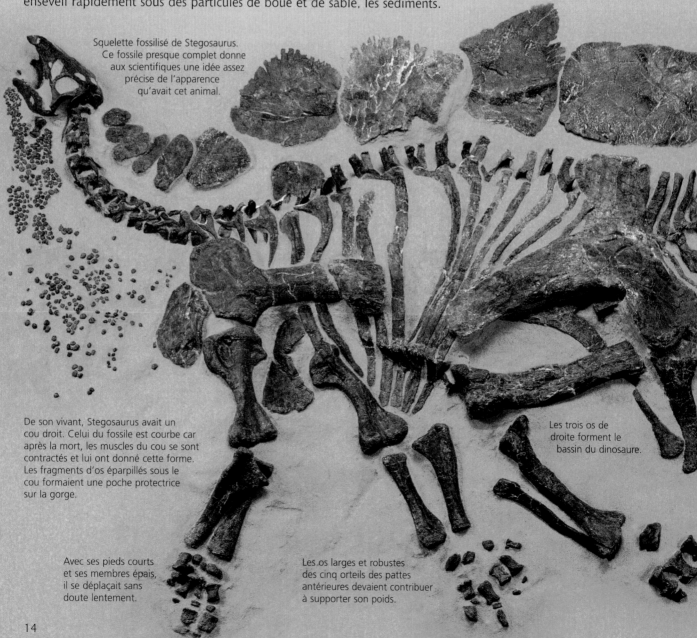

Squelette fossilisé de Stegosaurus. Ce fossile presque complet donne aux scientifiques une idée assez précise de l'apparence qu'avait cet animal.

De son vivant, Stegosaurus avait un cou droit. Celui du fossile est courbe car après la mort, les muscles du cou se sont contractés et lui ont donné cette forme. Les fragments d'os éparpillés sous le cou formaient une poche protectrice sur la gorge.

Les trois os de droite forment le bassin du dinosaure.

Avec ses pieds courts et ses membres épais, il se déplaçait sans doute lentement.

Les os larges et robustes des cinq orteils des pattes antérieures devaient contribuer à supporter son poids.

La fossilisation

Au cours de millions d'années, les sédiments s'entassent en couches sur le cadavre de l'animal. Chaque nouvelle couche compresse celles qui se trouvent dessous, transformant progressivement le sédiment en roches dites sédimentaires. Les constituants chimiques de la roche s'infiltrent par des trous minuscules dans les os et les dents de l'animal. Ces constituants se solidifient très progressivement, transformant le squelette de l'animal en fossile. Ce sont en général les parties dures de l'animal, comme les dents et les os, qui sont fossilisées.

★

Un dinosaure meurt près de l'eau. Sa chair se décompose et bientôt, il ne reste plus que les os.

L'eau monte et elle recouvre les ossements. Les sédiments s'accumulent sur eux et les empêchent d'être emportés.

Les sédiments se transforment progressivement en roche, emprisonnant les restes de l'animal dans ses couches.

Les traces fossiles

Les scientifiques ont également découvert des empreintes de pas, des feuilles portant des traces de dents et même des excréments fossilisés, autant d'indices supplémentaires du mode de vie des dinosaures. Ces diverses traces ne se fossilisent pas de la même façon que les parties dures. Il arrive par exemple que les empreintes laissées par un animal dans la boue se durcissent, puis finissent par se transformer en roche.

Momification

La fossilisation des parties molles du dinosaure, comme les muscles et la chair, est très rare. Pour que cela se produise, il faut que le climat soit très chaud et très sec et que le cadavre se dessèche très rapidement sans se décomposer. Ce processus est appelé momification.

Des fossiles révélateurs

Les scientifiques spécialistes des fossiles sont des paléontologues. En étudiant ces restes, ils peuvent déduire la forme et la taille des dinosaures. Les empreintes fossiles offrent des indices sur leur mode de vie. Ainsi, la découverte d'un grand nombre d'empreintes semblables au même endroit indique que certains dinosaures vivaient en troupeaux.

La taille des plaques diminue le long de la queue. Toutes sont différentes.

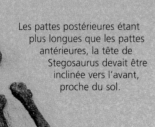

Les pattes postérieures étant plus longues que les pattes antérieures, la tête de Stegosaurus devait être inclinée vers l'avant, proche du sol.

Ces pointes permettaient à Stegosaurus de se défendre.

Excrément fossilisé de dinosaure, plus rare que les fossiles de parties dures, car les excréments se décomposent plus rapidement.

Les excréments fossilisés, ou coprolithes, permettent de savoir ce que mangeaient les dinosaures. Les coprolithes d'herbivores contiennent des matières végétales, ceux des carnivores, des esquilles d'os.

La chasse aux fossiles

Il arrive que l'on trouve des fossiles de dinosaures par hasard, mais la plupart sont découverts par des paléontologues en expédition. Celle-ci peut durer plusieurs années et se dérouler dans des conditions difficiles et dangereuses.

🦕 Liens Internet

Surfe sur ce site consacré à la découverte de fossiles et au déterrement de dinosaures. Pour le lien vers ce site, connecte-toi à :
www.usborne-quicklinks.com/fr

Le Parc provincial des dinosaures, en Alberta, au Canada. Les vastes étendues de roches mésozoïques qui affleurent en font un endroit idéal pour la chasse aux fossiles.

Où chercher ?

Comme les fossiles n'existent que dans les roches sédimentaires, les paléontologues les cherchent dans celles formées à l'époque des dinosaures, au Mésozoïque. Bien que les dinosaures soient des animaux terrestres, leurs cadavres ont souvent été emportés dans la mer par les rivières ou les inondations : les paléontologues fouillent donc également les terrains immergés au Mésozoïque.

Terrains de chasse

La plupart des roches sédimentaires du Mésozoïque sont enfouies profondément. Pour trouver des fossiles de dinosaures, les paléontologues fouillent les terrains érodés par les rivières et la mer, où les roches des couches supérieures ont laissé la place à celles du Mésozoïque. On dégage également parfois ces roches lorsqu'on extrait des minéraux ou que l'on construit des routes.

Ce fossile de Conchoraptor provient du désert de Gobi. Les vents puissants qui soufflent dans cette région ont érodé la roche et dégagé les fossiles.

16

Les bons coins

Les meilleurs endroits, pour trouver des fossiles de dinosaures, sont les vastes étendues rocheuses soumises à une érosion constante. Ce sont en général des déserts reculés ou des terrains rocheux et dénudés appelés *badlands*. Ils sont creusés de vallées profondes et étroites où presque rien ne pousse, ce qui permet de voir facilement les fossiles qui ressortent de la roche.

Ces os d'hadrosaures affleurent dans des roches sédimentaires de *badlands*, en Amérique du Nord.

Des fossiles cachés

Les scientifiques ne peuvent malheureusement pas explorer toutes les roches sédimentaires du Mésozoïque. Certaines sont enfouies trop profondément dans le sous-sol, sous d'autres roches, au fond de l'eau ou même sous des bâtiments. De nombreux fossiles de dinosaures ne seront jamais mis au jour. Dans les falaises, par exemple, ils sont souvent emportés par la mer avant qu'on ait pu les découvrir. Parfois, les fouilles sont rendues difficiles par le climat, des guerres ou des problèmes politiques.

Coups de chance

Il est arrivé que des cultivateurs ou des ouvriers employés à la construction de routes ou de chemins de fer fassent des découvertes fortuites étonnantes. L'une des trouvailles récentes les plus intéressantes a été faite par un cultivateur de Patagonie, en Argentine, qui a trouvé par hasard des os qui dépassaient du sol. Les scientifiques les ont par la suite identifiés comme les vertèbres du cou de l'un des plus longs dinosaures. Celui-ci n'a pas encore été baptisé.

Les fouilles de dinosaures

L e dégagement, le transport et le nettoyage des fossiles de dinosaures sont des opérations difficiles, qui prennent beaucoup de temps. La préparation et l'étude des os de dinosaures peuvent demander des mois, ou même des années. Sans ce travail préalable, il est impossible d'évaluer l'importance d'une découverte.

Liens Internet

Des informations sur les techniques de fouilles sur des œufs fossiles de dinosaures. Pour le lien vers ce site, connecte-toi à :
www.usborne-quicklinks.com/fr

Le dégagement de fossiles

Une fois le fossile découvert, les scientifiques dégagent soigneusement la roche et la terre qui l'entourent à l'aide de pics, de pelles, de marteaux et de brosses. La roche dure peut être enlevée avec des outils électriques ou même des explosifs. On examine également avec soin la zone qui entoure le fossile, au cas où d'autres os du même dinosaure seraient enfouis tout près.

Ces paléontologues américains dégagent des os de dinosaures en Afrique. Ils se servent de marteaux, de ciseaux et d'autres outils pour déblayer la roche et le sable.

Les archives

Une fois que les scientifiques ont dégagé tous les fossiles d'un site, ils mesurent, photographient, dessinent et étiquettent chacun d'entre eux. Ils indiquent soigneusement la position exacte de chaque fragment. Ces renseignements sont essentiels pour reconstituer le squelette.

Les paléontologues travaillent méthodiquement et soigneusement, déblayant les débris rocheux au fur et à mesure pour qu'ils ne se mélangent pas avec les fragments de fossiles.

Le transport des fossiles

Avant de les transporter, on enveloppe les fossiles pour les empêcher de s'abîmer. Les plus petits sont entourés de papier et placés dans des sacs, tandis que les grands sont enserrés dans du plâtre. Souvent, les fossiles sont encore enfoncés en partie dans de la roche, que l'on couvre également de plâtre. Certains sont si lourds qu'il faut les déplacer à l'aide d'une grue.

★
On trempe des bandes de tissu dans du plâtre, dont on entoure les grands fossiles. Le plâtre durcit vite et forme une enveloppe résistante.

Le fossile est fixé sur des planches. Ce fond plat l'empêche d'être ballotté durant le transport.

Ce paléontologue racle des os de tyrannosaure avec des outils de précision pour enlever la roche. Derrière lui, on peut voir d'autres os plâtrés qui attendent d'être nettoyés.

Un nettoyage minutieux

Le nettoyage et la préparation des fossiles se déroulent dans un laboratoire. On enlève d'abord les couches de protection, puis on dégage la roche qui entoure les os à la sableuse ou on la dissout dans de l'acide assez peu concentré. Ensuite, les scientifiques éliminent lentement les dernières traces de roche avec une aiguille ou une fraise de dentiste, en se servant d'une loupe ou d'un microscope pour repérer les petits détails. Les os sont renforcés au moyen d'une solution chimique pour éviter qu'ils ne s'effritent, puis rangés en lieu sûr.

Ce site se trouve dans le Sahara, où les paléontologues travaillent pendant des heures dans la chaleur et la sécheresse.

À l'intérieur

Certains fossiles, comme ceux de crânes ou d'œufs qui n'ont pas éclos, sont remplis de roche. Celle-ci est impossible à atteindre sans découper le fossile. Toutefois, grâce à des scanners à rayons X performants, on peut distinguer la forme des fossiles à l'intérieur de la roche. Grâce à ces appareils, les scientifiques peuvent connaître par exemple la taille de la cavité intérieure d'un crâne, ou la position d'un petit à l'intérieur d'un œuf.

Dessin représentant une radiographie d'un dinosaure à l'intérieur d'un œuf.

Identifier les dinosaures

Quand ils découvrent un squelette de dinosaure, les paléontologues disposent parfois de très peu d'indices qui leur permettent de l'identifier. Ils examinent avec soin tous les os dans l'espoir de trouver des caractéristiques distinctives. Toutefois, s'il manque plusieurs os, ou s'ils sont mélangés avec ceux d'autres animaux, les erreurs sont parfois possibles.

La forme du crâne

De nombreux dinosaures ont un crâne très caractéristique. C'est en général cette partie du fossile, s'il en reste suffisamment, qui permet aux paléontologues de savoir à quelle espèce appartient l'animal qu'ils ont découvert. Ainsi, les stégosaures ont le crâne très long et fuselé, tandis que la plupart des pachycéphalosaures ont le crâne très épais, en forme de dôme, et que les cératopsiens arborent en général une collerette à l'arrière du crâne.

Le crâne allongé et étroit de Stegosaurus se terminait par un bec édenté.

Des os révélateurs

S'ils n'ont pas de crâne, ou qu'il en manque une trop grande partie, les paléontologues ont souvent plus de mal à identifier le dinosaure. Ils doivent se baser sur les éléments du squelette particuliers à un type de dinosaure. Les pachycéphalosaures, par exemple, avaient tous des côtes très longues qui reliaient la colonne vertébrale au bassin. Aucun autre dinosaure n'en possède de semblables.

🐾 Liens Internet

Une page sur l'alimentation et la digestion des dinosaures.
Pour le lien vers ce site, connecte-toi
à : www.usborne-quicklinks.com/fr

Des dents distinctives

Les dents permettent également de distinguer les dinosaures les uns des autres. Ainsi, celles des sauropodes avaient une forme de spatule ou de cheville, tandis que celles des théropodes étaient pointues et très acérées.

Les dents des dinosaures étaient adaptées à leur alimentation. Aussi, même s'il n'est pas possible de savoir exactement à quelle espèce de dinosaure appartient une dent, on peut quand même déduire de quoi il se nourrissait.

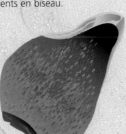

Brachiosaurus déchiquetait les feuilles des plantes à l'aide de ses dents en biseau.

Stegosaurus avait de petites dents cannelées, qui lui permettaient de découper la végétation.

Allosaurus possédait des dents acérées, à bord crénelé, pour mieux déchirer la viande.

Erreur d'identification

De temps en temps, les paléontologues pensent avoir découvert une nouvelle espèce de dinosaure, alors qu'il s'agit en fait d'os de dinosaures différents mélangés.

Par exemple, en 1906, on a découvert un tyrannosaure qui semblait revêtu de plaques protectrices. Les scientifiques ont déclaré qu'il s'agissait d'une nouvelle espèce, et on l'a baptisé Dynamosaurus imperiosus. Par la suite, on s'est aperçu que ces plaques appartenaient en fait à un ankylosaure et que le tyrannosaure était un Tyrannosaurus rex.

Squelette d'Archaeoraptor éclairé à la lumière ultraviolette qui permet de mieux distinguer les différents os.

Drôle d'oiseau

Parfois, une prétendue nouvelle espèce de dinosaure se révèle être un faux. Ainsi, en 1999, on a découvert un fossile de dinosaure aux apparences d'oiseau. Ses ailes d'oiseau et sa queue de reptile lui ont valu le nom d'Archaeoraptor.

Toutefois, en l'examinant de plus près, les paléontologues ont découvert, sur le squelette d'Archaeoraptor, de minuscules fractures soigneusement enduites de plâtre à certains endroits pour essayer de les dissimuler. Ils comprirent alors que quelqu'un avait assemblé des os fossilisés de dinosaure et d'oiseau pour constituer ce qui paraissait être un squelette complet.

Le corps d'Archaeoraptor appartenait à un oiseau.

Os de la queue. Il appartenait au dinosaure Microraptor.

Reconstituer un squelette

La reconstitution des dinosaures est une tâche essentielle du travail de paléontologue. La première étape consiste à assembler le squelette. Toutefois, grâce aux indices donnés par les fossiles et à des comparaisons avec des animaux actuels, les scientifiques peuvent aller beaucoup plus loin.

Liens Internet

Une fiche sur la reconstitution d'un squelette de dinosaure.
Pour le lien vers ce site, connecte-toi à :
www.usborne-quicklinks.com/fr

Le squelette

L'assemblage du squelette demande un vrai travail de détective. Souvent, il n'en subsiste que 20 %, et parfois beaucoup moins. La première chose que doivent faire les paléontologues est donc de deviner la forme des os manquants.

Lorsque les paléontologues disposent déjà d'os d'autres spécimens de l'espèce sur laquelle ils travaillent, ils peuvent reconstituer ceux qui manquent et en faire des copies.

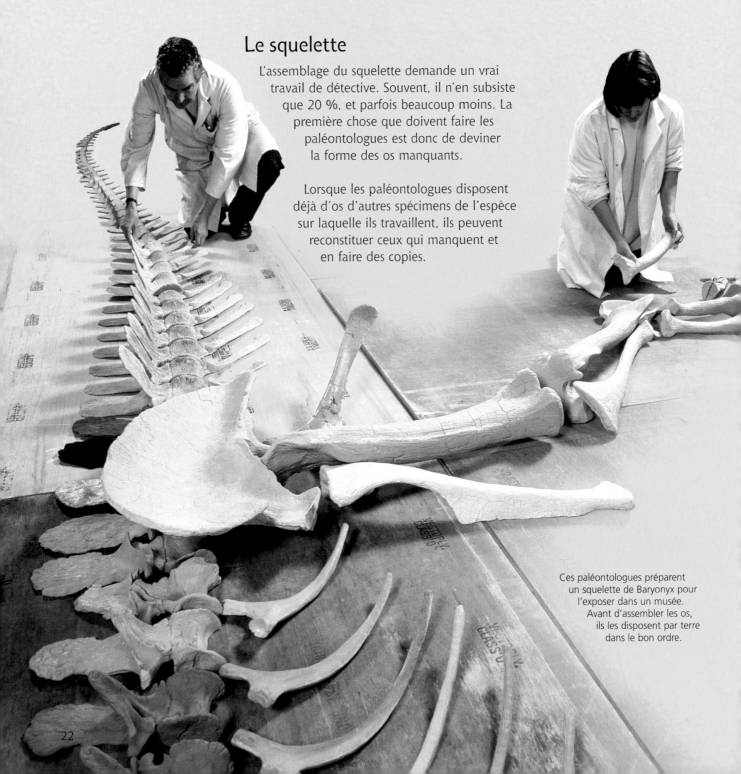

Ces paléontologues préparent un squelette de Baryonyx pour l'exposer dans un musée. Avant d'assembler les os, ils les disposent par terre dans le bon ordre.

Reconstitution de Baryonyx dans la position où son fossile a été découvert. Les paléontologues ont ajouté les muscles et la peau au squelette.

Les muscles

Une fois que le squelette du dinosaure est complet, les scientifiques peuvent lui ajouter des muscles et obtenir ainsi une bien meilleure idée de son apparence. Les muscles des animaux actuels servent souvent de modèles pour reconstituer ceux des dinosaures. Il subsiste parfois des marques aux endroits où les muscles étaient fixés au squelette. Elles permettent aux paléontologues d'en connaître la taille et la forme.

La peau et les plumes

Il arrive, quoique très rarement, que l'on trouve de la peau de dinosaure ou bien des empreintes de peau fossilisées. Celles-ci permettent de connaître la texture de la peau et de savoir si l'animal avait des plumes. Toutefois, en ce qui concerne la couleur, il n'y a aucun indice et les scientifiques n'ont d'autre ressource que de faire appel à leur imagination.

L'évolution des théories

Au fur et à mesure que l'on découvre de nouveaux vestiges, les théories évoluent. Ainsi, on croyait que les narines des dinosaures se trouvaient sur le dessus du museau, mais suite à de nouveaux travaux de recherche, on a conclu que, chez de nombreuses espèces, elles étaient très proches du bout de leur museau. Cette découverte pourrait aider les scientifiques à mieux comprendre le système respiratoire et l'odorat de ces animaux.

Encore récemment, les scientifiques croyaient que les narines de Tyrannosaurus se trouvaient sur le dessus de son museau.

On pense aujourd'hui qu'elles étaient au bout, bien plus près de la gueule, comme sur cette illustration.

Des revenants

Dans le film Jurassic Park, des scientifiques font revivre des dinosaures. Ils se servent d'une substance, l'ADN, appartenant à un dinosaure depuis longtemps disparu pour reproduire le dinosaure d'origine. Mais cela est-il vraiment possible ?

🦕 Liens Internet

Sur la piste du mokele mbembe...
Pour le lien vers ce site, connecte-toi à :
www.usborne-quicklinks.com/fr

Ces vélociraptors du film *Jurassic Park* ont été recréés à l'aide de l'ADN de dinosaures d'autrefois.

Le support de la vie

L'ADN est une substance chimique très complexe présente dans toutes les espèces vivantes. Ton apparence, la taille que tu atteindras sans doute et même certains aspects de ta personnalité dépendent de la manière dont les différents éléments de ton ADN sont disposés. C'est une sorte de plan ou de maquette qui contient toutes les informations dont ont besoin les scientifiques pour recréer un animal.

Cette brebis, Dolly, est le premier mammifère cloné au moyen de l'ADN d'un animal adulte.

Fonctionnement

Jusqu'à présent, les scientifiques ont réussi à recréer plusieurs différents types d'animaux, y compris des moutons, des chats, des souris et des cochons. On appelle cette méthode le clonage. Elle consiste à introduire dans un ovule, ou œuf, de l'ADN prélevé sur l'animal que l'on souhaite cloner. L'ovule est ensuite placé dans le ventre d'une femelle d'une espèce appropriée, où il se développe pour devenir un jeune animal. Ce nouvel individu, ou clone, est une copie exacte de l'original.

De l'ADN ancien

Pour les scientifiques qui voudraient cloner un dinosaure, la difficulté consiste à trouver l'ADN nécessaire. Jusqu'à présent, aucun fossile ne contenait d'ADN. Toutefois, les scientifiques ont découvert des insectes suceurs de sang préhistoriques conservés dans de la résine fossilisée. Si l'un de ces insectes a sucé le sang d'un dinosaure, il est possible qu'il en reste un peu et qu'il contienne de l'ADN de dinosaure.

Détérioration de l'ADN

Jusqu'à présent, on n'a pas découvert d'ADN de dinosaure dans le sang d'insectes. Même si on en trouvait, de nombreux scientifiques pensent qu'il serait quand même impossible de l'utiliser pour cloner un dinosaure. Pour réussir cette opération, il faut de l'ADN presque parfait. Or l'ADN commence à se détériorer après une dizaine de milliers d'années. Bien plus ancien, l'ADN de dinosaure le plus récent serait bien trop abîmé pour qu'on puisse l'utiliser.

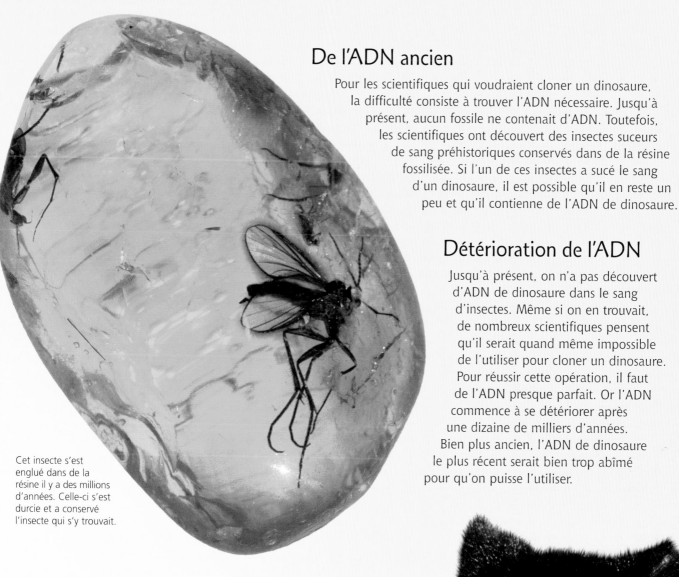

Cet insecte s'est englué dans de la résine il y a des millions d'années. Celle-ci s'est durcie et a conservé l'insecte qui s'y trouvait.

Des dinosaures dans la jungle

Les scientifiques ne pourront peut-être pas rendre la vie aux dinosaures, mais se pourrait-il que certains aient survécu jusqu'à nos jours ? Les habitants de la jungle du Congo, en Afrique, affirment avoir vu un animal semblable à un sauropode, qu'ils appellent *mokele mbembe*. Ils disent qu'il a la taille d'un petit éléphant, qu'il vit dans les marais et se nourrit de végétaux.

Il n'est pas impossible qu'un animal de grande taille puisse vivre inaperçu dans les profondeurs de la jungle. Cependant, les scientifiques qui étudient son cas pensent qu'il s'agit plutôt d'un rhinocéros que d'un dinosaure.

Jusqu'en 1994, personne ne connaissait l'existence de ce dendrolague (*Dendrolagus mbaiso*). S'il a fallu tant de temps pour le découvrir, se pourrait-il que de plus grands animaux, tels que des dinosaures, restent à découvrir ?

Les dinosaures végétariens vivaient en troupeau pour se protéger des carnivores.

Le monde des dinosaures

Dans ce chapitre, tu pourras en apprendre plus sur le monde au temps des dinosaures. Tu découvriras comment ils ont évolué, quels sont leurs liens de parenté avec les oiseaux et comment on explique leur disparition.

L'évolution de la Terre

La Terre était très différente du temps des dinosaures. Depuis, de nouveaux océans se sont formés, les continents ont changé de place et de nouvelles montagnes sont apparues. Ces changements ont été provoqués par le mouvement de vastes morceaux de roche, les plaques tectoniques, qui composent la surface de la Terre.

La dérive des continents

La Terre se compose de couches différentes. Les plaques qui forment sa surface, ou croûte, reposent sur une couche appelée le manteau. Certaines parties du manteau sont en fusion. Sans cesse en mouvement, elles entraînent les plaques, qui avancent ainsi de 5 cm par an environ. C'est peu, mais sur une période de plusieurs millions d'années, cela suffit pour faire parcourir des distances énormes aux continents. Quand les dinosaures sont apparus, les continents se trouvaient à des endroits très différents de leur emplacement actuel.

Plaque Amérique du Nord

Plaque Eurasie

Plaque Amérique du Sud

Fond de l'océan

Plaque des Cocos

Plaque Caraïbe

Plaque Afrique

Frontières de plaques

Plaque Nazca

Manteau

Ici, on voit comment les plaques de la Terre s'emboîtent les unes dans les autres. L'une d'entre elles a été enlevée pour montrer le manteau, en dessous.

Des montagnes en formation

À l'époque des dinosaures, certaines chaînes de montagnes n'existaient pas encore. L'Himalaya, par exemple, s'est formé cinq millions d'années après leur disparition, quand les deux immenses plaques qui composent l'Inde et l'Asie sont entrées en collision. La croûte terrestre s'est alors soulevée pour former la chaîne de montagnes la plus haute du monde. Les montagnes créées par la collision de deux plaques portent le nom de chaînes de montagnes plissées.

Ces montagnes font partie de l'Himalaya. Cette chaîne s'étend le long de la frontière qui sépare aujourd'hui l'Inde de la Chine.

Le fond des océans

Le mouvement des plaques modifie également la taille et la forme des océans. Quand deux plaques entrent en collision au fond de l'océan, l'une s'enfonce sous l'autre, puis elle fond et retourne dans le manteau. À d'autres endroits, les plaques s'éloignent l'une de l'autre. Du magma remonte pour prendre leur place et l'océan s'agrandit.

Fosse
Terre
Croûte océanique
Croûte océanique
Manteau

Ce schéma montre ce qui se produit quand deux plaques du fond de l'océan entrent en collision. Une fissure profonde, ou fosse, se forme entre les deux plaques.

Les preuves fossiles

Les fossiles nous aident à savoir comment les continents se sont déplacés. Les paléontologues découvrent souvent des fossiles d'animaux semblables sur des continents aujourd'hui séparés par de vastes océans. Pour que ces animaux aient pu coloniser ces zones diverses, il fallait que les continents soient reliés du vivant de ces espèces.

Fossile d'Hypsilophodon. On a découvert des fossiles de ce dinosaure en Amérique du Nord et en Europe, ce qui laisse supposer que ces terres étaient autrefois contiguës.

Cartes du Mésozoïque

Les cartes reproduites sur ces deux pages indiquent l'emplacement des océans et des continents au Mésozoïque. Elles les représentent du Trias à la fin du Crétacé, époque où les continents commençaient à se rapprocher de l'endroit où ils se trouvent de nos jours.

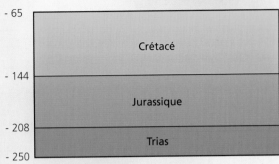

- 65	
	Crétacé
- 144	
	Jurassique
- 208	
	Trias
- 250	

Ce tableau indique la durée des différentes époques du Mésozoïque. Les chiffres de gauche représentent des millions d'années.

Le supercontinent

Au début du Trias, la plupart des continents se rejoignaient pour former un supercontinent géant, que l'on a appelé la Pangée. Autour, un vaste océan, la Panthalassa, couvrait les deux tiers de la surface de la Terre. Seules la Chine et une partie de l'Asie du Sud-Est étaient séparées de la Pangée.

Cette carte représente la Pangée au début du Trias. Les lignes blanches délimitent les continents actuels. Ceux-ci étaient alors en partie immergés, ce qui explique pourquoi les lignes blanches sont parfois dans la mer.

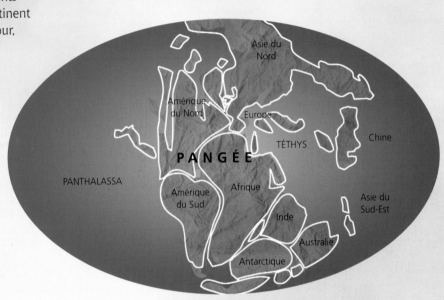

La séparation

La Pangée a formé un continent unique jusqu'à la fin du Trias. Cependant, certaines parties de l'Afrique, de l'Amérique du Nord ainsi que de l'Europe avaient déjà commencé à s'écarter. La séparation de l'Afrique du Nord et de la côte est de l'Amérique du Nord a donné naissance à l'Atlantique Nord (océan).

À certains endroits, la croûte séparant l'Amérique du Nord et l'Europe s'est effondrée, laissant place à une série de vallées profondes et larges, ou rifts.

La dérive des continents

Au Jurassique, la Pangée s'est divisée en deux pour former la Laurasie au nord et le Gondwana au sud. Le niveau de la mer a monté, couvrant certaines parties des continents de mers peu profondes. L'Atlantique Nord s'est encore élargi. L'Amérique du Nord et l'Afrique ont continué à s'éloigner l'une de l'autre.

Pendant la majeure partie du Jurassique, l'Europe était composée d'un ensemble d'îles.

Des continents distincts

Au début du Crétacé, les continents étaient toujours séparés par des mers peu profondes en autant d'îles différentes et ont continué à s'écarter. L'Antarctique et l'Australie se sont encore éloignés de l'Afrique et de l'Amérique du Sud, et l'océan Atlantique s'est agrandi un peu plus.

L'Inde a continué à s'éloigner de l'Afrique, de l'Antarctique et de l'Australie.

La montée des eaux

À la fin du Crétacé, le niveau de la mer était beaucoup plus haut qu'aujourd'hui. Une mer intérieure séparait l'Amérique du Nord en deux moitiés est et ouest, et une bonne partie de l'Europe était immergée. L'Afrique du Nord était également traversée par une grande mer intérieure. La plupart des grands continents étaient séparés par des océans.

Au Crétacé, une bande de terre reliait parfois l'Amérique du Nord et l'Asie selon le niveau de la mer.

Le monde du Trias

Au Trias, les animaux et les végétaux étaient différents de ceux d'aujourd'hui. Les reptiles étaient les maîtres des airs et de la terre, il n'y avait ni graminées ni plantes à fleurs. C'est durant cette période que sont apparus les premiers dinosaures.

Les reptiles volants, ou ptérosaures, sont apparus au Trias.

Un climat chaud et sec

C'est près de l'équateur qu'il fait le plus chaud, là où les rayons du soleil sont à la verticale. Quand les dinosaures sont apparus, la Pangée s'étendait des deux côtés de l'équateur. La majeure partie de cette zone était ainsi soumise aux rayons directs du soleil, et il y faisait plus chaud qu'aujourd'hui. De vastes déserts occupaient le centre du continent et il n'y avait pas de glace aux pôles.

Au bord de la mer

Près de la mer, régnait un climat plus doux et plus humide qu'à l'intérieur des terres. Étant donné la taille immense de la Pangée, de vastes régions se trouvaient à une grande distance des côtes. Il y pleuvait rarement. Les fossiles du Trias indiquent que les dinosaures vivaient surtout près du littoral, dans les régions humides et les terres broussailleuses de la Pangée, même si certains vivaient peut-être dans les déserts.

Scène typique de la fin du Trias, représentant des animaux rassemblés au bord d'un lac.

Coelophysis était un petit dinosaure prédateur. Il vivait en bande pour se protéger des prédateurs plus grands.

Les prêles poussaient principalement dans les endroits humides.

Postosuchus était un gros archosaure semblable à un crocodile. Il chassait seul.

Les reptiles du Trias

Au Trias, il y avait trois principaux types de reptiles terrestres : les dinosaures, les archosaures et les ptérosaures. Les archosaures, qui rassemblent au crocodile, étaient des animaux lourds, de grande taille, qui se déplaçaient à quatre pattes. À la fin du Trias, c'étaient les animaux terrestres les plus répandus. Les dinosaures ne représentaient que 5 % des animaux terrestres.

Une époque de mutations

Les tout premiers dinosaures étaient petits et servaient de proie aux archosaures, bien plus grands qu'eux. À la fin du Trias, leur taille avait augmenté, tandis que les archosaures commençaient à disparaître. Le temps des dinosaures avait commencé.

 Liens Internet

Tu peux ici te renseigner sur le Trias. Pour le lien vers ce site, connecte-toi à : www.usborne-quicklinks.com/fr

Le cycas était un arbre très répandu au Trias.

Les platéosaures étaient des dinosaures herbivores qui pouvaient atteindre 7 m de long.

Ils se dressaient sur leurs pattes postérieures pour se nourrir aux grands arbres. La queue leur servait aussi de support.

Le monde du Jurassique

Au Jurassique, les dinosaures se sont répandus sur toute la Terre. Les premiers oiseaux ont aussi fait leur apparition, mais le ciel était encore dominé par les reptiles volants. Les rivières étaient pleines de crocodiles et de grands reptiles appelés plésiosaures, tandis que des ichtyosaures, semblables à des dauphins, ainsi que des requins et des plésiosaures peuplaient mers et océans.

Les plésiosaures vivaient dans l'eau mais devaient venir respirer à la surface.

Cette scène se passe en Chine au Jurassique moyen. Un grande variété de dinosaures y vivaient alors, dont des stégosaures, des sauropodes et des théropodes.

Hsisosuchus était un crocodile du Jurassique. Ses pattes étaient plus longues que celles des crocodiles actuels et il passait davantage de temps sur la terre ferme.

Chaud et humide

Avec la désagrégation de la Pangée au Jurassique, d'immenses mers se sont formées entre les continents. Le niveau de la mer a monté et, sur les continents, de vastes étendues ont été inondées. Le climat était plus frais et plus humide qu'à l'époque du Trias, mais il était quand même plus chaud qu'aujourd'hui. Dans ce climat doux et humide, les régions désertiques au Trias se sont couvertes d'une végétation luxuriante et de vastes forêts sont apparues à de nombreux endroits sur la Terre.

Les plésiosaures avaient quatre nageoires en forme de pagaie, dont ils se servaient pour se propulser dans l'eau.

Les huayangosaures étaient des stégosaures. Ils avaient des pointes acérées sur la queue qui leur servaient à se protéger des attaques.

34

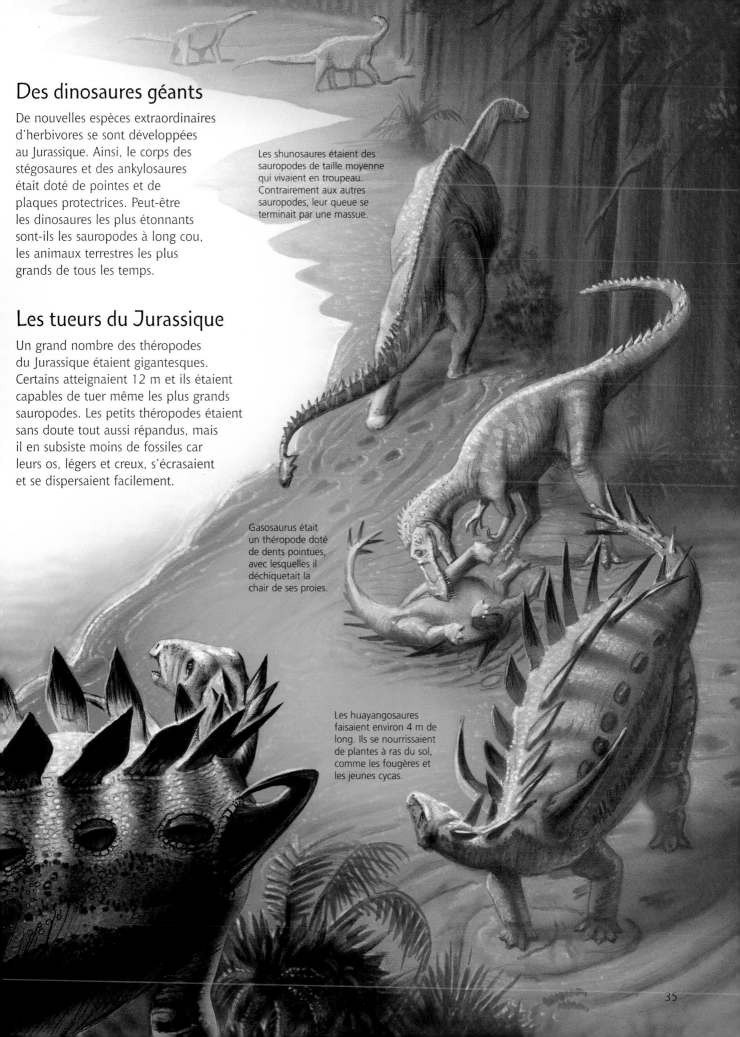

Des dinosaures géants

De nouvelles espèces extraordinaires
d'herbivores se sont développées
au Jurassique. Ainsi, le corps des
stégosaures et des ankylosaures
était doté de pointes et de
plaques protectrices. Peut-être
les dinosaures les plus étonnants
sont-ils les sauropodes à long cou,
les animaux terrestres les plus
grands de tous les temps.

Les shunosaures étaient des
sauropodes de taille moyenne
qui vivaient en troupeau.
Contrairement aux autres
sauropodes, leur queue se
terminait par une massue.

Les tueurs du Jurassique

Un grand nombre des théropodes
du Jurassique étaient gigantesques.
Certains atteignaient 12 m et ils étaient
capables de tuer même les plus grands
sauropodes. Les petits théropodes étaient
sans doute tout aussi répandus, mais
il en subsiste moins de fossiles car
leurs os, légers et creux, s'écrasaient
et se dispersaient facilement.

Gasosaurus était
un théropode doté
de dents pointues,
avec lesquelles il
déchiquetait la
chair de ses proies.

Les huayangosaures
faisaient environ 4 m de
long. Ils se nourrissaient
de plantes à ras du sol,
comme les fougères et
les jeunes cycas.

Au temps du Crétacé

Au Crétacé, on trouve des dinosaures partout dans le monde. De multiples espèces nouvelles se développent et un grand nombre des animaux et plantes actuels font également leur apparition. Ceux-ci comprennent de nouveaux groupes de mammifères et d'insectes, ainsi que toutes sortes d'espèces d'oiseaux.

Au Crétacé, les oiseaux s'étaient diversifiés et étendus à plusieurs parties du monde. Rahonavis était un oiseau primitif doté de griffes acérées au deuxième doigt.

Cette scène de la fin du Crétacé dans le nord-ouest de Madagascar présente quelques-uns des différents dinosaures que l'on trouvait à l'époque sur les continents austraux.

L'abélisaure Majungatholus était un énorme dinosaure théropode. Il s'attaquait aux sauropodes et aux autres gros herbivores.

Les premières fleurs

Le Crétacé se distingue du Jurassique principalement par l'apparition des plantes à fleurs. Dès le milieu du Crétacé, elles avaient commencé à se répandre dans le monde et s'étaient diversifiées en de nombreuses espèces différentes. Les abeilles, les guêpes et les papillon qui se nourrissent des plantes à fleur font également leur apparition.

Les premières plantes à fleurs devaient être assez colorées pour attirer les insectes.

Les libellules figurent parmi les premiers insectes volants. Elles sont apparues il y a plus de 300 millions d'années et étaient répandues au Crétacé.

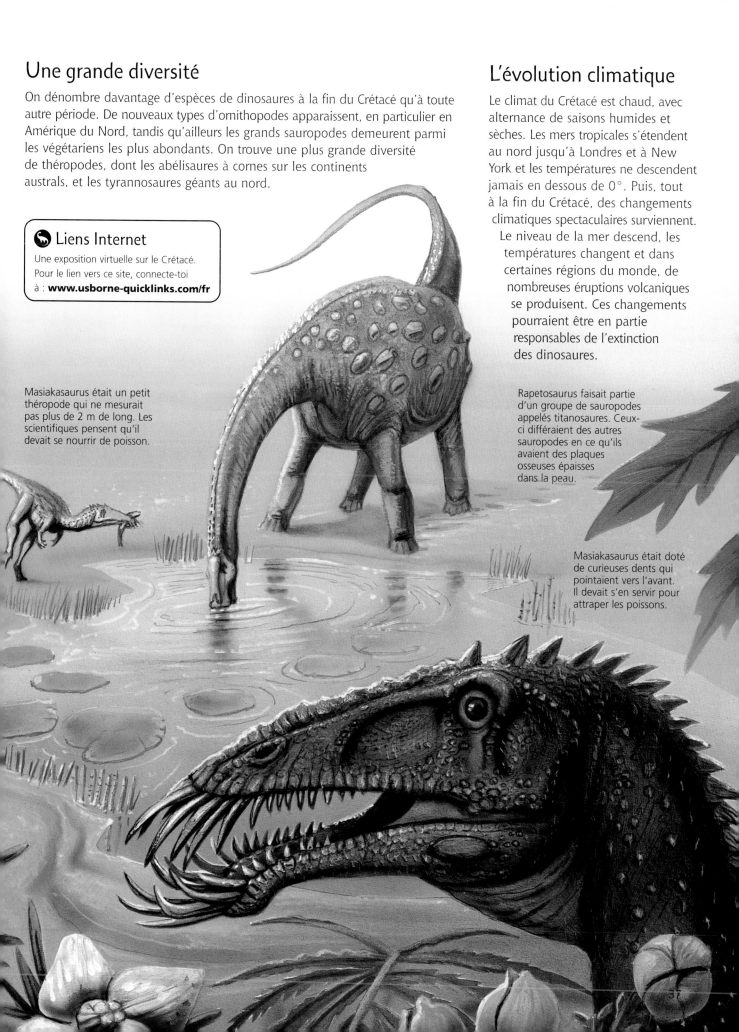

Une grande diversité

On dénombre davantage d'espèces de dinosaures à la fin du Crétacé qu'à toute autre période. De nouveaux types d'ornithopodes apparaissent, en particulier en Amérique du Nord, tandis qu'ailleurs les grands sauropodes demeurent parmi les végétariens les plus abondants. On trouve une plus grande diversité de théropodes, dont les abélisaures à cornes sur les continents austraux, et les tyrannosaures géants au nord.

🦕 Liens Internet

Une exposition virtuelle sur le Crétacé.
Pour le lien vers ce site, connecte-toi
à : **www.usborne-quicklinks.com/fr**

Masiakasaurus était un petit théropode qui ne mesurait pas plus de 2 m de long. Les scientifiques pensent qu'il devait se nourrir de poisson.

L'évolution climatique

Le climat du Crétacé est chaud, avec alternance de saisons humides et sèches. Les mers tropicales s'étendent au nord jusqu'à Londres et à New York et les températures ne descendent jamais en dessous de 0°. Puis, tout à la fin du Crétacé, des changements climatiques spectaculaires surviennent. Le niveau de la mer descend, les températures changent et dans certaines régions du monde, de nombreuses éruptions volcaniques se produisent. Ces changements pourraient être en partie responsables de l'extinction des dinosaures.

Rapetosaurus faisait partie d'un groupe de sauropodes appelés titanosaures. Ceux-ci différaient des autres sauropodes en ce qu'ils avaient des plaques osseuses épaisses dans la peau.

Masiakasaurus était doté de curieuses dents qui pointaient vers l'avant. Il devait s'en servir pour attraper les poissons.

L'évolution

La plupart des scientifiques pensent que les espèces vivantes changent progressivement dans le temps : c'est la théorie de l'évolution. Les scientifiques se basent sur cette théorie pour essayer de comprendre l'origine et l'évolution des dinosaures.

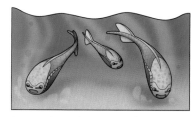

Les premiers poissons apparaissent il y a 500 millions d'années. Ils ont la peau épaisse et sont dépourvus de mâchoires. À cette époque, il n'existe pas d'animaux terrestres.

Il y a 375 millions d'années, certains animaux aquatiques commencent à sortir de l'eau, probablement pour échapper à des prédateurs. Ce sont les premiers amphibiens.

Les informations des fossiles

On appelle archives fossiles l'ensemble des fossiles découverts jusqu'à présent. Celles-ci nous montrent comment les plantes et les animaux ont évolué dans le temps. D'après les archives fossiles, les premières formes de vie sont les bactéries, qui sont apparues il y a 3 500 millions d'années. Ces espèces ont évolué sur une période de plusieurs millions d'années pour devenir les premiers végétaux et animaux.

Il y a 300 millions d'années, les premiers reptiles apparaissent. Leur corps est adapté à la vie sur la terre ferme. Leur peau écailleuse et sèche les protège du soleil.

★

Il y a environ 240 millions d'années, apparaissent des reptiles dont les pattes sont placées verticalement sous le corps : ce sont les premiers dinosaures.

Fossiles de trilobites, qui sont parmi les premiers animaux à squelette. Ils sont vieux d'environ 550 millions d'années.

Liens Internet

Un dossier sur l'évolution à travers l'étude d'Archeopteryx et des ptérosaures. Pour le lien vers ce site, connecte-toi à : www.usborne-quicklinks.com/fr

Un monde en mutation

Les espèces vivantes évoluent dans le temps car leur milieu change. Les animaux adaptés aux changements survivent, tandis que les autres disparaissent. Les survivants transmettent leurs caractéristiques à leurs descendants. C'est ce que l'on appelle la sélection naturelle. Les animaux actuels en fournissent aussi la preuve. Un grand nombre de ceux qui vivent dans les climats froids, par exemple, se sont adaptés à leur milieu grâce à une fourrure épaisse qui leur tient chaud.

Les ours polaires vivent dans l'Arctique, une région glaciale. Leur fourrure épaisse les aide à survivre dans les eaux glacées.

Diversité

Le déplacement des continents a influencé l'évolution des dinosaures. Durant le Trias, quand il n'y avait qu'un seul continent, les dinosaures se ressemblaient tous beaucoup de par le monde. Avec l'éclatement de la Pangée, la forme et la taille des dinosaures ont évolué progressivement tandis qu'ils se sont adaptés à leurs nouveaux environnements.

Des caractéristiques en évolution

Les caractéristiques de certains dinosaures sont apparues en réaction à d'autres animaux de leur milieu. Les ankylosaures, par exemple, ont acquis progressivement des plaques et des épines osseuses pour se protéger contre les dinosaures carnivores. Les scientifiques pensent que certaines de leurs particularités facilitaient leur reproduction. Les cornes sur la tête de dinosaures tels que Pentaceratops et Chasmosaurus sont peut-être apparues pour les aider à attirer des partenaires.

Ce squelette fossilisé de l'ankylosaure Gastonia possède des plaques et pointes défensives. Certaines de ces pointes atteignaient 1 m de long.

Une extinction massive

À la fin du Crétacé, il s'est produit une extinction massive des espèces vivantes. Les animaux terrestres de plus de 2 m de long ont disparu, ainsi que 70 % des espèces marines. Aucun dinosaure n'a survécu à cette extinction. Les scientifiques cherchent encore à en découvrir la cause.

🐾 **Liens Internet**

On examine ici les théories des causes de l'extinction massive des dinosaures.
Pour le lien vers ce site, connecte-toi à :
www.usborne-quicklinks.com/fr

Le mystère du Mésozoïque

Il subsiste peu de vestiges permettant de savoir ce qui s'est réellement passé il y a 65 millions d'années. La plupart des scientifiques pensent que la disparition des dinosaures aurait été causée par l'impact d'un astéroïde. D'autres, cependant, affirment qu'ils ont peut-être été anéantis par un changement climatique ou des éruptions volcaniques.

Les preuves

Pour en savoir plus sur les raisons de l'extinction massive, les scientifiques étudient les roches qui datent de la période s'étendant de la fin du Crétacé, il y a 65 millions d'années, au début du Tertiaire. Comme le « K » est le symbole du Crétacé et que le « T » est celui du Tertiaire, on dit que ces roches forment la limite KT.

La lave liquide éjectée par ce volcan de Hawaii peut s'écouler sur des kilomètres. Les éruptions semblables qui se sont produites à la fin du Crétacé auraient provoqué des dégâts massifs.

Des inondations de lave

À la fin du Crétacé, on assiste à une recrudescence de l'activité volcanique dans le monde entier. En Inde, par exemple, des volcans massifs éjectent de véritables fleuves de lave. Depuis, ces flots de lave ont durci, se transformant en roche, et subsistent aujourd'hui à la limite KT dite Trapps du Deccan.

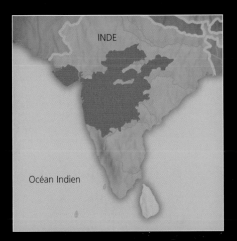

Les Trapps du Deccan (en rouge) occupent près de 500 000 km² en Inde occidentale.

Des volcans meurtriers

Ces coulées de lave auraient décimé les dinosaures sur leur passage mais aussi détruit leurs habitats. Les gaz toxiques éjectés par les volcans étaient encore plus dangereux. Ils ont peut-être même décimé les jeunes dinosaures dans l'œuf. Ces gaz peuvent également modifier le climat. Les scientifiques pensent qu'ils l'ont rendu soit trop chaud, soit trop froid pour certaines espèces de dinosaures.

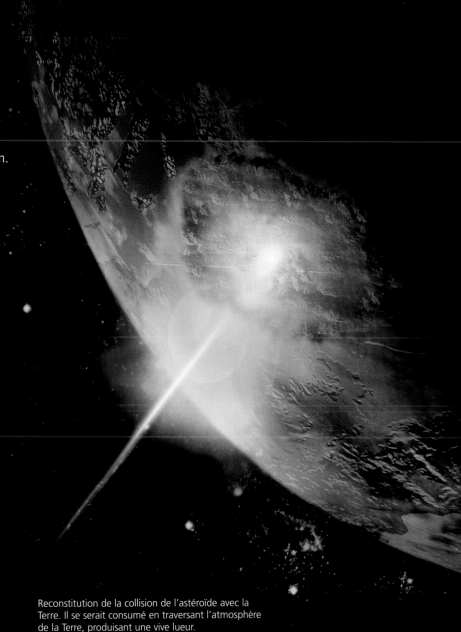

Reconstitution de la collision de l'astéroïde avec la Terre. Il se serait consumé en traversant l'atmosphère de la Terre, produisant une vive lueur.

Une catastrophe

À peu près à l'époque de la disparition des dinosaures, un immense astéroïde de 10 km de largeur est entré en collision avec la Terre. Les scientifiques pensent avoir découvert le cratère géant qu'il aurait creusé à Chicxulub, au Mexique. Les particules d'iridium, un métal, découvertes dans les roches KT un peu partout dans le monde confirmeraient cette hypothèse. En effet, l'iridium est très rare sur la Terre, mais très répandu dans les astéroïdes.

Un impact fatal

L'impact d'un grand astéroïde aurait été suffisant pour tuer les dinosaures. Il aurait dispersé des débris en fusion sur la surface de la planète, provoquant des incendies généralisés. Il aurait pu également déclencher des tremblements de terre en chaîne dévastateurs ainsi que des éruptions volcaniques. Des nuages de poussière auraient caché la lumière du soleil, plongeant la planète entière dans l'obscurité et dans un climat glacial pour de nombreuses années.

Destruction provoquée par l'éruption volcanique du mont Saint-Helens en 1980. Les survivants de l'extinction KT ont peut-être vécu dans un environnement semblable à celui-ci.

Les survivants

L'extinction massive KT n'a pas éliminé toutes les formes de vie. Les lézards de petite taille, les oiseaux, les insectes, les mammifères et les serpents n'ont pas été anéantis, contrairement aux dinosaures. Les scientifiques ne comprennent toujours pas pourquoi certains animaux ont survécu et d'autres pas.

Animaux du Mésozoïque	Limite KT	Survivants
Dinosaures		
Ptérosaures		
Plésiosaures		
Ammonites		
Mammifères		
Crocodiles		
Lézards et serpents		
Tortues marines		
Amphibiens		
Requins et poissons		
Insectes		
Oiseaux		

Ce tableau indique certains des groupes d'animaux qui ont disparu à la fin du Mésozoïque et certains de ceux qui ont survécu.

De petits survivants

Selon les scientifiques, les animaux de petite taille ont survécu en partie en raison de leurs habitudes alimentaires. En effet, ceux-ci ont généralement une alimentation variée, contrairement aux grands animaux, qui dépendent d'une seule source de nourriture. Si celle-ci disparaît, les animaux sont alors menacés d'extinction.

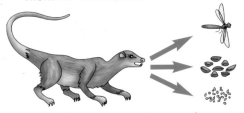

Le régime alimentaire varié des mammifères du Mésozoïque, composé d'insectes, de fruits à écale et de graines, leur a permis de survivre.

Les grands dinosaures carnivores se nourrissaient exclusivement de dinosaures herbivores. Une fois cette source de nourriture anéantie, ils ont disparu avec elle.

Une nouvelle vie

Chaque extinction massive a été suivie sur Terre par une explosion importante de l'évolution. Le Permien, période précédant le Mésozoïque, s'est terminé par l'extinction massive de peut-être 95 % des espèces. Ce phénomène a mené à l'apparition des dinosaures. Quand ceux-ci ont disparu, d'autres groupes d'animaux ont pris leur place, les mammifères et les oiseaux, qui à leur tour se sont multipliés et diversifiés en de nombreuses espèces différentes.

Megazostrodon, qui vivait il y a environ 180 millions d'années, était typique des premiers mammifères. Il mesurait environ 10 cm de long et se nourrissait sans doute d'insectes.

Les mammifères du Mésozoïque

Les premiers mammifères sont apparus il y a environ 203 millions d'années, mais par rapport aux dinosaures, ils étaient insignifiants. Les premiers mammifères ont pu survivre parce qu'ils étaient petits et en grande partie nocturnes. Au contraire des dinosaures, ils ont peu évolué durant le Mésozoïque et sont restés très petits pendant plus de 100 millions d'années.

L'ascension des mammifères

Après la disparition des dinosaures, les mammifères évoluent progressivement et finissent par occuper presque tous les habitats. Ainsi, les chauves-souris sont issues de l'évolution d'un groupe d'insectivores qui ont acquis, entre leurs doigts très longs, une membrane leur permettant de voler. Le corps de certains mammifères terrestres, venus vivre dans les océans, s'est transformé pour leur permettre d'évoluer dans l'eau. Les mammifères ont profité également des sources de nourriture variées disponibles. Certains sont demeurés insectivores, tandis que d'autres ont appris à se nourrir de plantes ou d'autres animaux.

Les êtres humains

En l'espace de millions d'années, les primates, un groupe de mammifères qui vivaient dans les arbres, ont évolué pour donner naissance aux grands singes, puis aux êtres humains. Ceux-ci existent depuis environ 2,3 millions d'années. Par rapport aux dinosaures, qui ont peuplé la Terre pendant 175 millions d'années, l'espèce humaine est très récente.

Ce jeune chimpanzé se balance de branche en branche grâce à ses mains et à ses pieds remarquablement adaptés. Les chimpanzés font partie de la famille des grands singes apparue il y a environ 30 millions d'années.

🐾 Liens Internet

Découvre des animaux préhistoriques.
Pour le lien vers ce site, connecte-toi à :
www.usborne-quicklinks.com/fr

Les descendants des dinosaures

En comparant le squelette des oiseaux les plus anciens avec ceux des petits théropodes, les scientifiques ont découvert que les oiseaux descendent directement des dinosaures. Les oiseaux et les dinosaures ont tellement de caractéristiques communes que certains scientifiques appellent les premiers des « dinosaures-oiseaux ».

Des caractéristiques communes

Selon les scientifiques, les oiseaux descendent d'un groupe de dinosaures, les dromaeosaures, qui partageaient de nombreuses caractéristiques avec les oiseaux, y compris des os creux et de longs bras emplumés.

En outre, l'articulation du poignet des dromaeosaures et des oiseaux est semblable. Chez les premiers, elle leur permet de replier la main contre le bras, peut-être pour protéger les plumes des mains. Les oiseaux font la même chose quand ils volent.

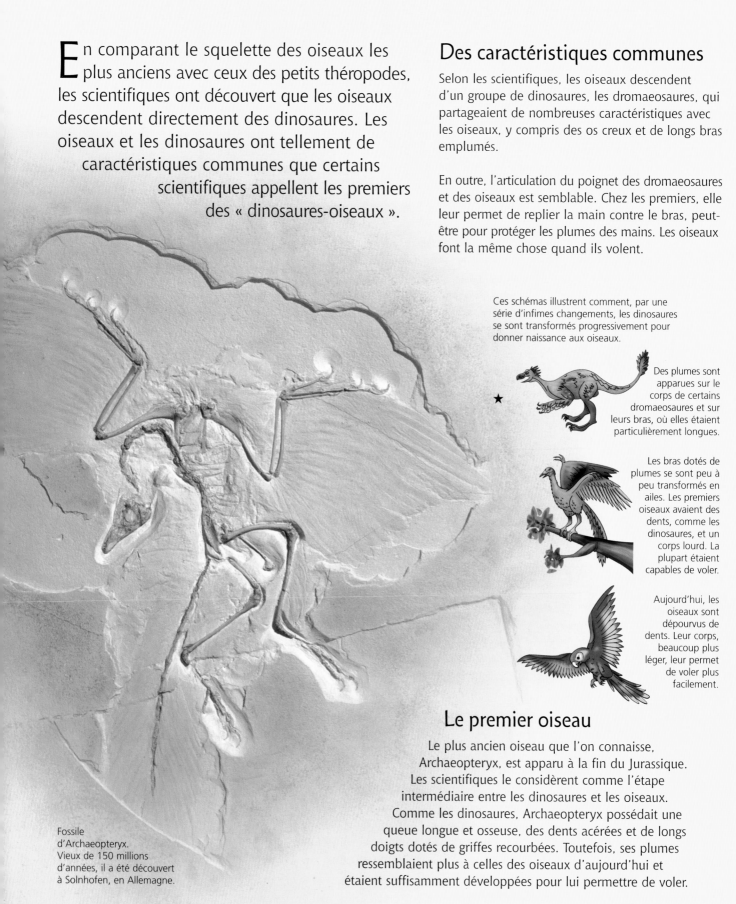

Ces schémas illustrent comment, par une série d'infimes changements, les dinosaures se sont transformés progressivement pour donner naissance aux oiseaux.

Des plumes sont apparues sur le corps de certains dromaeosaures et sur leurs bras, où elles étaient particulièrement longues.

Les bras dotés de plumes se sont peu à peu transformés en ailes. Les premiers oiseaux avaient des dents, comme les dinosaures, et un corps lourd. La plupart étaient capables de voler.

Aujourd'hui, les oiseaux sont dépourvus de dents. Leur corps, beaucoup plus léger, leur permet de voler plus facilement.

Le premier oiseau

Le plus ancien oiseau que l'on connaisse, Archaeopteryx, est apparu à la fin du Jurassique. Les scientifiques le considèrent comme l'étape intermédiaire entre les dinosaures et les oiseaux. Comme les dinosaures, Archaeopteryx possédait une queue longue et osseuse, des dents acérées et de longs doigts dotés de griffes recourbées. Toutefois, ses plumes ressemblaient plus à celles des oiseaux d'aujourd'hui et étaient suffisamment développées pour lui permettre de voler.

Fossile d'Archaeopteryx.
Vieux de 150 millions d'années, il a été découvert à Solnhofen, en Allemagne.

Les maillons manquants

Des fossiles comme celui de Confuciusornis, un oiseau du Crétacé découvert en Chine, illustrent bien comment les oiseaux semblables aux dinosaures du Mésozoïque ont évolué progressivement vers les oiseaux actuels. Contrairement à ces derniers, Confuciusornis possédait des griffes sur les ailes, et les plumes de sa queue n'étaient pas disposées en éventail. Comme eux, il possédait de grands orteils, ce qui l'aurait aidé à se percher dans les arbres. Confuciusornis est aussi le plus ancien oiseau doté d'un bec dépourvu de dents.

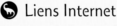

Les confuciusornithidés possédaient deux longues plumes caudales, qui leur servaient peut-être à attirer les femelles.

L'apprentissage du vol

Les scientifiques ne savent pas comment les oiseaux ont appris à voler. Certains pensent qu'au début, leurs ailes leur servaient à planer d'arbre en arbre et qu'ils ont ensuite appris à les battre. Selon une autre théorie, les oiseaux auraient appris à voler en courant après leur proie et en sautant pour l'attraper. Selon la plus récente, ils se seraient mis à voler en battant des ailes pour mieux grimper sur une pente.

Des espèces dominantes

Il existe aujourd'hui des milliards d'oiseaux répartis en plus de 9 000 espèces. Les oiseaux sont l'un des groupes d'animaux les plus nombreux et les plus diversifiés. Il est étonnant de savoir qu'ils descendent tous des petits théropodes.

★

Il se peut qu'en sautant pour attraper des insectes, les premiers oiseaux aient été soulevés dans l'air par une brise.

Liens Internet

Pour en savoir plus sur Archaeopteryx.
Pour le lien vers ce site, connecte-toi à :
www.usborne-quicklinks.com/fr

En battant des ailes, les oiseaux peuvent se hisser en haut de pentes raides. C'est peut-être ainsi que les premiers oiseaux ont appris à voler.

Poussin de hoatzin. Comme Archaeopteryx et Confuciusornis, les poussins de hoatzin ont des griffes sur les ailes. Ce sont les seuls oiseaux actuels à en avoir.

45

Le parc national de Canyonlands, Utah, États-Unis. Au cours de millions d'années, les rivières qui coulent dans le canyon ont creusé des formes étonnantes dans la roche et mis à nu de vastes zones de roche mésozoïque.

La répartition des dinosaures selon les continents

Ce chapitre te fera découvrir les régions du monde où l'on a mis au jour des fossiles de dinosaures et il te fera connaître les trouvailles les plus célèbres et les plus étonnantes concernant ces animaux.

Où vivaient-ils ?

On a découvert des os de dinosaures dans le monde entier, du désert aride de Gobi, en Mongolie, aux plaines gelées de l'Alaska. Les scientifiques s'efforcent constamment de trouver de nouveaux dinosaures, d'en apprendre davantage à leur sujet et de découvrir de nouvelles espèces. On en exhume environ dix par an dans le monde entier.

Liens Internet

Et maintenant, amuse-toi un peu : un petit quiz sur les dinosaures. Pour le lien vers ce site, connecte-toi à : www.usborne-quicklinks.com/fr

Êtres humains géants ou terribles lézards ?

Pendant des siècles, les hommes se sont demandés de quels animaux provenaient les fossiles de dinosaures qu'ils découvraient. Certains pensaient qu'il s'agissait d'os de dragons, d'autres qu'ils appartenaient à des éléphants. Un Anglais appelé Robert Plot a même affirmé que le fémur gigantesque d'un dinosaure appartenait à un être humain géant.

Puis en 1842, un scientifique, Richard Owen, qui étudiait des fossiles de reptiles géants, s'est rendu compte qu'ils n'étaient pas apparentés aux reptiles modernes, mais formaient un groupe distinct. Il les a baptisés Dinosauria, ce qui veut dire « lézard terrible ».

Cette cavité étrange, dans les roches jurassiques du Colorado, aux États-Unis, est l'empreinte d'un fémur de sauropode. Peut-être ne faut-il pas s'étonner qu'avant la découverte de l'existence des dinosaures, ces énormes fossiles aient donné lieu à des théories extraordinaires.

Dans le monde entier

Au début, la recherche de dinosaures était concentrée dans l'ouest de l'Amérique du Nord. C'est en effet la région du monde qui a fourni le plus de fossiles de dinosaures à ce jour. Mais cela pourrait bientôt changer, car les scientifiques consacrent désormais plus de temps et d'argent aux fouilles dans les régions australes du globe, comme l'Argentine et Madagascar. Dans les années 1980, on a même retrouvé des dinosaures en Antarctique : tous les continents du globe en abritaient donc.

Parc provincial des dinosaures, Canada

■ Hell Creek, États-Unis

■ Dinosaur National Monument, États-Unis

Angleterre méridionale
■ Bernissart, Belgique

Désert de Gobi, Mongolie

■ Liaoning, Chine

■ Sichuan, Chine

■ Oasis de Bahariya, Égypte

Tendaguru, Tanzanie

Bassin de Mahajanga, Madagascar

Vallée de la Lune, Argentine

■ Neuquén, Argentine

■ Bassin du Karoo, Afrique du Sud

Dinosaur Cove, Australie

Les carrés rouges indiquent quelques-uns des principaux sites du monde où l'on a découvert des dinosaures.

Image satellite du désert de Gobi vu de l'espace. Elle permet aux paléontologues d'avoir une idée précise de la région.

Même lieu, avec des teintes différentes qui font ressortir la végétation et les différents types de roche. La zone violette pourrait recéler des fossiles de dinosaures.

De l'espace

Grâce aux progrès technologiques, les paléontologues peuvent désormais repérer plus facilement les endroits où ils ont des chances de trouver des dinosaures. Lorsqu'ils prospectent de vastes étendues, ils étudient des images satellites pour détecter les sites possibles. Grâce aux détecteurs de chaleur, ils peuvent repérer différents types de surface et ainsi isoler les roches sédimentaires susceptibles de renfermer des fossiles. Les informations fournies par ces instruments apparaissent sous une couleur différente sur l'image satellite.

Noms de baptême

Chaque nouveau dinosaure est baptisé soit par la personne qui le découvre, soit par les paléontologues qui l'ont identifié. La plupart des noms se composent de mots latins et grecs. Parfois, on leur donne un nom qui décrit une de leurs particularités. Ainsi, Stegosaurus signifie « lézard à plaques », ce qui renvoie aux plaques qu'il avait sur le dos. D'autres dinosaures sont baptisés du nom de l'endroit où ils ont été découverts, ou de celui d'une personne. Toutefois, les scientifiques n'ont pas le droit de donner leur nom à un dinosaure. Pour connaître la signification des noms des différents dinosaures, consulte les pages 118-133.

Incisivosaurus, un dinosaure d'aspect étrange provenant de Chine, a été découvert en 2002. Il doit son nom à ses incisives en forme de dents de lapin.

L'Amérique du Sud

C'est en Argentine que l'on a découvert certains des dinosaures les plus intéressants d'Amérique du Sud. Certains sont parmi les fossiles les plus anciens découverts jusqu'à présent.

Petit dinosaure...

La découverte de dinosaures du Trias en Amérique du Sud a révélé aux scientifiques que les premiers dinosaures étaient, comme Staurikosaurus et Pisanosaurus, des bipèdes véloces de petite taille.

...deviendra grand

Les premiers grands dinosaures sont les prosauropodes, apparus en Amérique du Sud à la fin du Trias, dont on a découvert des vestiges dans de nombreuses parties du monde. Riojasaurus, un prosauropode de 10 m de long exhumé en Argentine, aurait été l'un des plus grands dinosaures de son époque.

Riojasaurus se nourrissait de végétaux. Doté d'un corps volumineux et d'une petite tête, il vivait il y a environ 210 millions d'années.

VENEZUELA

GUYANA

GUYANE FRANÇAISE

SURINAM

Antarctosaurus

COLOMBIE

ÉQUATEUR

BRÉSIL

PÉROU

BOLIVIE

Les symboles de dinosaures représentés sur cette carte indiquent les endroits où ils ont été découverts. Les carrés noirs indiquent les principaux sites de dinosaures d'Amérique du Sud.

PARAGUAY

Saltasaurus

Riojasaurus

CHILI

ARGENTINE

Staurikosaurus

Antarctosaurus

Laplatasaurus

URUGUAY

■ Vallée de la Lune

■ Neuquén

Quelques-uns des plus anciens dinosaures ont été découverts ici. Pour en savoir plus, consulte les pages 52-53.

Site important, où les scientifiques ont découvert certains des plus grands dinosaures. Voir pages 54-55.

Patagosaurus

Volkheimeria

Pisanitzkysaurus

50

De rares vestiges

On a découvert moins de dinosaures du Jurassique en Amérique du Sud que sur d'autres continents. Jusqu'à présent, les seuls spécimens ont été trouvés en Argentine, dont les grands sauropodes Patagosaurus et Volkheimeria et le théropode Pianitzkysaurus, qui était sans doute leur prédateur. Cependant, il pourrait y en avoir bien d'autres, car les paléontologues viennent tout juste de commencer à chercher des dinosaures sur ce continent.

Patagosaurus se défendait probablement en envoyant des coups de pied avec ses pattes antérieures puissantes.

Santanaraptor

Irritator

Gondwanatitan

Irritator avait le museau long et fin, ce qui l'aidait à attraper des poissons. Ses dents pointues lui permettaient de bien les agripper.

Pianitzkysaurus n'atteignait que le tiers de la taille de Patagosaurus, mais il était sans doute capable d'attaquer cet animal bien plus gros.

Les dinosaures du Gondwana

Les scientifiques supposaient autrefois que le Gondwana s'était disloqué au début du Crétacé, mais ils pensent aujourd'hui que l'Amérique du Sud et l'Afrique étaient encore reliées au milieu de cette période. En 1996, un spinosaure du Crétacé moyen, appelé Irritator, a été découvert au Brésil. Comme on a également découvert des spinosaures du Crétacé moyen en Afrique, ces deux continents devaient encore être reliés à cette époque pour que ces dinosaures aient pu coloniser ces deux régions.

La vallée de la Lune

Cette vallée, située en Argentine, doit son nom à son étrange paysage lunaire de roches dénudées et déchiquetées et de vallées encaissées. On y a découvert certains des plus anciens fossiles de dinosaures : Herrerasaurus, Pisanosaurus et Eoraptor. Ils vivaient il y a environ 225 millions d'années.

Un paysage en évolution

Aujourd'hui, la vallée de la Lune, asséchée et poussiéreuse, ne contient qu'une végétation rare. Cependant, il y a 225 millions d'années, de grands fleuves y coulaient et il y pleuvait fréquemment. Ces fleuves débordaient souvent et inondaient les terres avoisinantes. D'énormes troncs d'arbres fossilisés de plus de 40 m de haut ont été découverts dans la région, ce qui indique qu'elle était couverte de forêts.

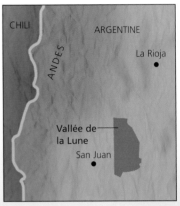

La vallée de la Lune, en rouge, s'étend sur 250 km², dans le nord-ouest de l'Argentine.

Fossiles du Trias

La plupart des fossiles de la vallée de la Lune proviennent non pas de dinosaures, mais d'archosaures, des reptiles semblables à des crocodiles, qui étaient les prédateurs dominants de cette période. Le plus grand, Saurosuchus, était un prédateur féroce aux dents et mâchoires énormes, qui atteignait jusqu'à 7 m de long. Avec son corps lourd et ses pattes courtes, il était plus lent que les dinosaures.

La vallée de la Lune aujourd'hui. Ces étranges formations rocheuses, ou cheminées de fées, ont été modelées par les vents puissants qui soufflent dans la vallée.

Cette illustration de Saurosuchus montre à quel point ses pattes étaient courtes par rapport à son corps.

Un tout petit dinosaure

Le plus petit dinosaure de la vallée de la Lune était Eoraptor, un carnivore de seulement 1 m de long. À cause de sa petite taille, ce prédateur devait sans doute passer beaucoup de temps à éviter les autres animaux. Il se nourrissait de petits reptiles et d'insectes, mais peut-être également de végétaux. À l'arrière de sa gueule, il avait des dents pointues pour déchiqueter la viande et, à l'avant, des dents plus arrondies servant peut-être à arracher des feuilles.

Ce scientifique élimine des particules de roche d'un crâne d'Eoraptor. La petite taille de celui-ci demande que la préparation de ses os délicats soit effectuée avec précaution.

Conçu pour la chasse

Herrerasaurus était l'un des plus grands carnivores de son époque. Il possédait toutes les caractéristiques d'un tueur, y compris des griffes acérées et une mâchoire supérieure armée de dents d'une longueur inhabituelle. Grâce à ses longues pattes postérieures, il courait vite. Herrerasaurus chassait sans doute Pisanosaurus et Eoraptor, des végétariens, ainsi que d'autres reptiles.

🐾 Liens Internet

Une rubrique sur le temps des dinosaures en Argentine.
Pour le lien vers ce site, connecte-toi à : www.usborne-quicklinks.com/fr

Herrerasaurus était un bipède : il pouvait donc agripper ses proies de ses griffes acérées.

Au pays des géants

ans le Neuquén, une région du sud-ouest de l'Argentine, les scientifiques ont découvert les fossiles de certains des plus grands dinosaures. Ceux-ci comprennent des membres du groupe des sauropodes, les titanosaures, ainsi que Giganotosaurus, l'un des plus féroces prédateurs.

Des rivières aux déserts

Aujourd'hui, le Neuquén est en grande partie occupé par un désert, mais à la fin du Crétacé, il offrait un paysage varié de grands fleuves et de bois clairsemés. Une riche végétation, suffisante pour permettre aux énormes titanosaures de subsister, devait y pousser.

Un titanosaure colossal

Le plus grand des titanosaures, Argentinosaurus, était aussi le plus grand des dinosaures. De la hauteur d'un bâtiment de cinq étages, il avait sur le dos, comme les autres titanosaures, des bosses osseuses allant de la taille d'un petit pois à celle du poing d'un être humain. Celles-ci le protégeaient des attaques d'autres dinosaures.

Peu de dinosaures étaient d'une taille suffisante pour s'attaquer à Argentinosaurus. Son principal prédateur était sans doute Giganotosaurus, le plus grand théropode de la région.

Des griffes terrifiantes

En 1998, on a découvert dans le Neuquén une griffe géante, appartenant à un nouveau dinosaure, que les scientifiques ont baptisé Megaraptor. Certains pensent que c'était un prédateur véloce et meurtrier, qui déchirait sa proie avec ses longues griffes. En se basant sur la longueur de la griffe, les scientifiques estiment qu'il atteignait 8 m de long.

La rapidité de Megaraptor et ses griffes meurtrières lui permettaient d'attraper et de tuer facilement d'autres dinosaures. Son arme la plus dangereuse était la griffe d'une longueur inhabituelle, de 35 cm de long, dont était armé son second orteil.

Un carnivore géant

Giganotosaurus était l'un des plus grands prédateurs terrestres. Avec ses 12,5 m de long et ses 4 m de haut, il appartenait à la famille des carcharodontosauridés. Au Crétacé, ceux-ci étaient parmi les plus féroces carnivores qui peuplaient l'Afrique et l'Amérique du Sud.

Des dents tranchantes

On a découvert la majeure partie du squelette de Giganotosaurus, y compris le crâne et les dents. Celles-ci, grandes et semblables à des lames, lui permettaient de découper facilement la chair. Ce dinosaure attaquait sans doute sa proie en la mordant à plusieurs reprises pour la faire saigner à mort.

Les scientifiques pensent que les giganotosaures vivaient en bande.

🌐 Liens Internet
Un petit dossier sur Giganotosaurus.
Pour le lien vers ce site, connecte-toi
à : www.usborne-quicklinks.com/fr

L'Amérique du Nord

L'Amérique du Nord est le paradis des chasseurs de dinosaures. Elle renferme certains des sites de fossiles les plus riches du monde et abrite des dinosaures célèbres tels que Triceratops et Stegosaurus, qui n'ont été découverts nulle part ailleurs.

GROENLAND

Edmontosaurus

ALASKA
(ÉTATS-UNIS)

Des centaines de fossiles du Crétacé ont été exhumés ici. Pour en savoir plus à leur sujet, consulte les pages 60-61.

CANADA

Edmontosaurus

Triceratops

Saurolophus

De nombreux dinosaures de la fin du Crétacé ont été découverts ici. Des informations à leur sujet sont données aux pages 62-63.

Parc provincial des dinosaures

Hell Creek

Deinonychus

Troodon

Tyrannosaurus

Diplodocus

Hadrosaurus

Dryptosaurus

Stegosaurus

ÉTATS-UNIS

Des informations sur ce site du Jurassique sont données aux pages 58-59.

Dinosaur National Monument

Coelophysis

Tyrannosaurus

Apatosaurus

Lambeosaurus

MEXIQUE

L'extension des mers

Au Crétacé, une mer peu profonde se forme en Amérique du Nord et s'agrandit progressivement, séparant les moitiés est et ouest du continent. L'est reste relié à l'Europe, mais l'ouest devient une île, avec ses propres espèces de dinosaures. Au lieu des sauropodes, qui prédominent dans les autres parties du monde, cette région est peuplée de nombreux hadrosaures, tyrannosaures et cératopsiens.

Des parents asiatiques

L'ouest de l'Amérique du Nord était une île, mais il semblerait qu'à certaines époques du Crétacé, un pont terrestre l'ait rattaché à l'Asie orientale. Chaque fois que le niveau de la mer baissait, le pont émergeait et les dinosaures pouvaient traverser. C'est ainsi que certains dinosaures d'Asie orientale ressemblent étroitement aux espèces nord-américaines.

Saurolophus vivait en Asie et en Amérique du Nord. Cette illustration représente un Saurolophus américain (à droite) et son parent asiatique. Ils se ressemblent, mais l'espèce asiatique a une crête plus allongée.

Cette carte d'Amérique du Nord indique certains des dinosaures qui y ont été découverts, ainsi que trois sites importants. La plupart des fossiles de dinosaures se trouvent dans les vastes régions découvertes de l'ouest du continent.

56

Un prédateur primitif

En 1947, plus d'une centaine de squelettes de Coelophysis a été découverte par des paléontologues qui fouillaient un endroit appelé Ghost Ranch, dans le nord du Nouveau-Mexique. D'après ces squelettes, Coelophysis était un théropode élancé, de moins de 3 m de longueur à la taille adulte. C'est l'un des théropodes les plus primitifs jamais découverts.

Coelophysis de Ghost Ranch. Les os d'un jeune Coelophysis ont été découverts près de ses côtes, ce qui pouvait suggérer qu'il avait mangé son petit. Cependant, de nouveaux travaux de recherche ont révélé que l'adulte est allongé sur son petit.

Des machines à tuer

L'un des derniers carnivores géants, Tyrannosaurus vivait en Amérique du Nord il y a de 70 à 65 millions d'années. C'était une bête massive douée d'une vue et d'une ouïe excellentes, lui permettant de détecter ses proies. Comme ses pattes étaient puissantes, il couvrait très rapidement les courtes distances. Toutefois, ses bras étaient minuscules, et on ne sait pas à quoi ils lui servaient. Ils étaient trop courts pour lui permettre de porter la nourriture à sa gueule et bien que musclés, ils étaient sans doute trop petits pour être d'une grande utilité dans les combats.

 Liens Internet

À propos de Tyrannosaurus, avec de superbes photos, dont le squelette de Sue. Pour le lien vers ce site, connecte-toi à : www.usborne-quicklinks.com/fr

Quand ils se battaient, les tyrannosaures se jetaient sur le cou et la tête de l'adversaire. Les scientifiques ont pu le vérifier car de nombreux crânes de tyrannosaures portent les traces de morsures infligées par des congénères.

Un cimetière du Jurassique

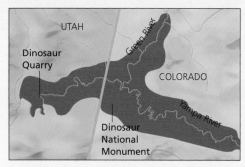

Le Dinosaur National Monument, en rouge, s'étend sur 800 km². Il contient une grande carrière où l'on a découvert de nombreux fossiles de dinosaures.

Le Dinosaur National Monument du Colorado et de l'Utah (États-Unis) est le site de la fin du Jurassique le plus varié du monde. On y a trouvé des centaines de squelettes de sauropodes, et parmi d'autres découvertes importantes, de nombreux vestiges de Stegosaurus et quelques squelettes bien conservés de théropodes.

Un cimetière fluvial

Au Jurassique, la région appelée aujourd'hui Dinosaur National Monument abritait de nombreux dinosaures, car il y avait beaucoup de rivières où ils pouvaient s'abreuver. Le relief était plat et ces rivières débordaient pendant la saison des pluies. À chaque inondation, des cadavres de dinosaures étaient emportés et déposés dans les méandres, où le courant ralentissait. Ensevelis sous les sédiments, ils se fossilisaient progressivement.

Les paléontologues ont maintenant découvert un grand nombre de ces ossements dans la carrière des dinosaures du National Monument. Là, les visiteurs peuvent admirer le mur de fossiles, une paroi rocheuse abrupte dans laquelle sont incrustés plus de 1 500 ossements.

Ce paléontologue dégage des ossements sur le mur de fossiles du Monument.

Des géants à longue queue

On a découvert quatre types de sauropodes au National Monument : Apatosaurus, Barosaurus, Camarasaurus et Diplodocus. Ce dernier est l'un des plus longs dinosaures jamais découverts : sa queue atteignait jusqu'à 14 m. Ses vertèbres caudales, creuses et relativement légères, permettaient à l'animal de redresser sa queue en se déplaçant. En effet, on n'en voit aucune trace dans les empreintes fossiles que l'on a découvertes.

La partie inférieure de certaines vertèbres de la queue de Diplodocus est plate. Cela indique que le dinosaure s'appuyait parfois sur elle.

★

Diplodocus s'appuyait peut-être sur sa longue queue quand il se dressait pour brouter les feuilles en hauteur.

Prédateur du Jurassique

En Amérique du Nord, le prédateur le plus répandu de la fin du Jurassique était Allosaurus. On en a découvert un crâne en presque parfait état de conservation au Monument. Armées de plus de 70 dents acérées et crénelées qui auraient tranché facilement la chair, ses mâchoires portent les traces de muscles développés, grâce auxquels il aurait pu ouvrir la gueule très grand. Les morsures profondes d'Allosaurus décelées sur les os de nombreux énormes sauropodes permettent de penser que ce prédateur féroce était capable d'attaquer des dinosaures de dix fois sa taille.

Allosaurus attaquait souvent les grands dinosaures herbivores comme Stegosaurus. Celui-ci se défendait en agitant violemment sa queue dotée de pointes, mais en général, Allosaurus l'emportait.

Un dinosaure robuste

Stegosaurus est le plus grand stégosaure jamais découvert. Cet herbivore était répandu en Amérique du Nord au Jurassique. Il avait deux rangées de grandes plaques osseuses sur le cou, le dos et la queue. Ces plaques, qui étaient sans doute couvertes de peau, étaient parcourues de vaisseaux sanguins et lui servaient à réguler sa température.

Pour avoir chaud, Stegosaurus se plaçait de façon à ce que le soleil frappe directement sur ses plaques, qui en absorbaient la chaleur.

Des plaques chauffantes

Pour réchauffer son corps, Stegosaurus se tenait les plaques face au soleil. Celui-ci réchauffait le sang qui circulait dedans, puis dans le reste du corps. Pour se rafraîchir, le dinosaure se tenait à l'ombre et les plaques perdaient de la chaleur.

Stegosaurus pouvait peut-être augmenter la circulation du sang dans ses plaques, les faisant virer au rouge vif. Peut-être avait-il ainsi une allure effrayante pour ses ennemis, ou plus attrayante pour les membres du sexe opposé.

Le cou de Diplodocus mesurait 8 m de long. Il le gardait d'habitude à l'horizontale, mais pouvait le redresser brièvement pour atteindre les hautes branches.

🐾 Liens Internet

Une rubrique pour en savoir plus sur Diplodocus.

Pour le lien vers ce site, connecte-toi à :

www.usborne-quicklinks.com/fr

Un parc de dinosaures

Certains des fossiles les plus importants jamais découverts viennent du Parc provincial des dinosaures, en Alberta méridionale, au Canada. Les paléontologues du parc ont dégagé plus de 300 squelettes bien conservés de dinosaures de la fin du Crétacé.

Le Parc provincial des dinosaures est une vaste étendue rocheuse et aride. De nombreuses cheminées de fées comme celles-ci ont été dégagées par l'érosion.

Un habitat idéal

Au Crétacé, l'Alberta méridionale était couverte d'une végétation épaisse, favorable aux dinosaures végétariens, tout comme à leurs prédateurs, qui y trouvaient toutes les proies dont ils avaient besoin. Dans le parc, on a recensé au moins 35 espèces de dinosaures, y compris un grand nombre de cératopsiens, d'hadrosaures et de tyrannosaures.

Une débandade mortelle

L'une des découvertes les plus impressionnantes faites dans le parc est celle d'une couche de fossiles contenant les ossements d'un énorme troupeau de centrosaures. Les scientifiques pensent que des centaines de milliers de centrosaures migrateurs ont dû essayer de traverser une rivière en crue et se sont noyés. Un grand nombre des os sont brisés et écrasés, ce qui indique que certains des animaux ont trébuché et sont tombés, puis ont été piétinés par les autres, qui s'efforçaient de traverser dans la panique.

Le Parc provincial des dinosaures s'étend sur 73 km² près des montagnes Rocheuses.

Ce groupe de centrosaures est sur le point de traverser une rivière. Les centrosaures migraient sans doute en troupeau chaque été vers le nord, où la température était plus clémente.

Des hadrosaures comme Parasaurolophus (à gauche) et Corythosaurus (à droite) vivaient en Alberta. Chaque espèce se nourrissant de végétaux différents, toutes pouvaient se côtoyer sans rivaliser pour la nourriture.

 **Liens Internet**

Explore ce lien d'une encyclopédie consacré aux dinosaures dans l'Ouest canadien. Pour le lien vers ce site, connecte-toi à : www.usborne-quicklinks.com/fr

Un prédateur terrifiant

Albertosaurus, un carnivore, est un parent plus petit de Tyrannosaurus. Il vivait en Amérique du Nord il y a de 75 à 70 millions d'années. Le premier fossile d'Albertosaurus, un crâne, vient d'Alberta, dont il tire son nom. Les scientifiques ont depuis découvert plusieurs squelettes d'Albertosaurus ensemble. Cela indique qu'ils se déplaçaient, et peut-être aussi chassaient, en bandes.

Un avertisseur

Les hadrosaures étaient très répandus au Crétacé en Amérique du Nord : on a découvert les ossements de plus de cinq espèces différentes au Parc provincial des dinosaures. Certains de ces dinosaures avaient la tête ornée d'une crête osseuse creuse. Il est possible qu'en soufflant dedans, ils aient produit un mugissement bruyant. Comme ils vivaient sans doute en troupeau, ce bruit leur servait peut-être à prévenir leurs congénères d'un danger.

Albertosaurus possédait un crâne énorme, plus profond et plus large que celui des autres tyrannosaures.

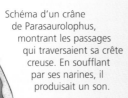

Schéma d'un crâne de Parasaurolophus, montrant les passages qui traversaient sa crête creuse. En soufflant par ses narines, il produisait un son.

Crête de Lambeosaurus. Les crêtes produisaient des sons différents selon leur forme, ce qui permettait aux hadrosaures d'espèces différentes de se reconnaître.

Hell Creek

Hell Creek est une région aride du Montana oriental, aux États-Unis, proche de la frontière canadienne.

Hell Creek se trouve immédiatement à l'est des montagnes Rocheuses, dans le Montana, aux États-Unis. Cet endroit a été usé par l'érosion qui a dégagé les roches de la fin du Crétacé. Celles-ci contiennent des vestiges de quelques-uns des tout derniers dinosaures.

Une plaine du Crétacé

De nombreux dinosaures vivaient à Hell Creek il y a de 70 à 65 millions d'années. À cette époque, cette région était une vaste plaine, de faible altitude, traversée par de nombreuses rivières. Le climat était doux et pluvieux et produisait une végétation abondante pour les herbivores.

La tête dure

De nombreux pachycéphalosaures, ou dinosaures à tête épaisse, vivaient en Amérique du Nord à la fin du Crétacé. Le plus grand était Pachycephalosaurus, dont le crâne formait un dôme épais de 25 cm. Il s'en servait sans doute pour donner des coups de tête à ses rivaux, quand ils se disputaient des femelles. Lors des combats, son dos et sa queue restaient rigides, ce qui évitait à sa colonne vertébrale de se disloquer.

Le dôme de ce crâne de Pachycephalosaurus est entouré de pointes osseuses. Elles lui servaient sans doute à intimider ses ennemis et à attirer des partenaires.

En se battant, les pachycéphalosaures donnaient des coups de tête sur le corps de leur adversaire. Les scientifiques croyaient auparavant qu'ils se cognaient la tête l'un de l'autre, mais ils pensent aujourd'hui que leur crâne se serait brisé sous l'effet du choc.

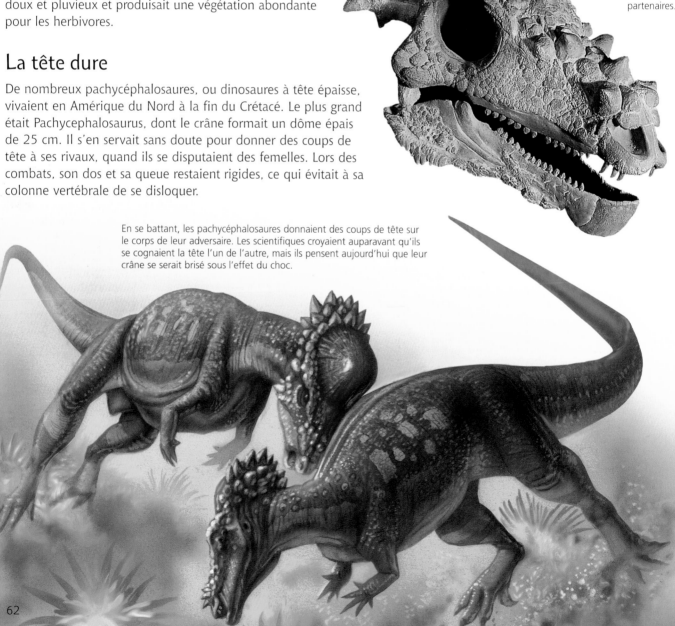

Le seigneur de Hell Creek

C'est en 1902, à Hell Creek, que l'on a découvert le premier squelette d'un Tyrannosaurus. Depuis, on en a trouvé d'autres à côté. Tyrannosaurus semble avoir été le seul grand théropode de la région, et il aurait donc chassé les nombreux herbivores qui peuplaient Hell Creek. On a décelé des marques de dents de tyrannosaure sur les os de différents dinosaures, dont des hadrosaures et des cératopsiens.

À trois cornes

Triceratops, le plus grand cératopsien, était très répandu en Amérique du Nord à la fin du Crétacé. Il doit son nom, qui signifie « face à trois cornes », aux deux longues cornes qui surmontaient ses yeux et à la plus petite qu'il avait au bout du museau. Il s'en servait peut-être pour frapper ses ennemis, en les chargeant comme un rhinocéros. Il avait également une collerette osseuse solide qui lui protégeait le cou quand il levait la tête. Il la dressait sans doute en baissant la tête pour attirer des partenaires.

Après avoir attrapé sa proie, Tyrannosaurus arrachait des morceaux de chair et d'os. Il avait des dents si puissantes qu'il pouvait broyer les os et les avaler avec la chair.

Liens Internet

Une fiche pour en savoir plus sur Triceratops.
Pour le lien vers ce site, connecte-toi à :
www.usborne-quicklinks.com/fr

Le crâne de Triceratops mesurait environ le tiers de sa longueur totale. Ses cornes étaient même encore plus longues quand il était en vie, car chacune était revêtue d'une épaisse couche cornée qui ne s'est pas fossilisée.

MAROC

Deltadromeus

TUNISIE

Spinosaurus

Carcharodontosaurus

ALGÉRIE

Spinosaurus

Carcharodontosaurus

LIBYE

ÉGYPTE

Oasis de Bahariya

On a découvert un grand nombre de dinosaures du Crétacé ici. Voir pages 70-71.

MAURITANIE

MALI

NIGER

Ouranosaurus

Nigersaurus

Cette carte de l'Afrique indique trois des plus importants sites de dinosaures et quelques-unes des principales découvertes.

TCHAD

SOUDAN

Spinosaurus

NIGERIA

RÉPUBLIQUE CENTRAFRICAINE

ÉTHIOPIE

CAMEROUN

SOMALIE

KENYA

RÉPUBLIQUE DÉMOCRATIQUE DU CONGO

TANZANIE

L'une des plus grandes expéditions a eu lieu à ce site. Voir pages 68-69.

Tendaguru

ANGOLA

ZAMBIE

MALAWI

Malawisaurus

Majungatholus

Rapetosaurus

Masiakasaurus

Vulcanodon

Syntarsus

MADAGASCAR

Massospondylus

ZIMBABWE

NAMIBIE

BOTSWANA

Prosauropode

AFRIQUE DU SUD

Massospondylus

Bassin du Karoo

Paranthodon

L'Afrique

L'Afrique est un vaste continent où l'on a découvert des dinosaures étonnants. L'Afrique du Sud recèle des archives fossiles presque ininterrompues, qui couvrent 50 millions d'années, tandis que l'Afrique orientale abrite un site spectaculaire de dinosaures du Jurassique. Des découvertes fascinantes ont été faites récemment dans les déserts d'Afrique du Nord et à Madagascar.

Les débuts des dinosaures

Les découvertes récentes faites à Madagascar ont attiré une foule de paléontologues dans ce pays. Dans les années 1990, on a ainsi trouvé deux mâchoires appartenant aux dinosaures les plus anciens que l'on connaisse. On pense que ces prosauropodes vivaient il y a environ 230 millions d'années. Étant donné leur découverte récente, ils n'ont pas encore été baptisés.

Madagascar n'est devenue une île qu'à la fin du Jurassique, quand elle s'est séparée de la Pangée. Auparavant, elle était entourée de l'Afrique et de l'Inde, étendues terrestres qui partagent de nombreux dinosaures.

Pour en savoir plus sur les anciens dinosaures du Jurassique découverts ici, consulte les pages 66-67.

D'étranges voiles

Un grand nombre des dinosaures d'Afrique du Nord possédaient sur le dos une sorte de « voile » dorsale composée d'épines osseuses réunies par une membrane. Les scientifiques ne savent pas à quoi elle servait. Peut-être leur permettait-elle d'attirer des membres du sexe opposé ou leur donnait-elle un air plus agressif. Certains pensent que, comme les plaques des stégosaures, cette voile permettait au dinosaure de maintenir son corps à la bonne température.

La tondeuse du Mésozoïque

Nigersaurus, un sauropode qui vivait il y a de 100 à 90 millions d'années, est l'un des dinosaures les plus étranges d'Afrique du Nord. De taille moyenne (15 m de long), Nigersaurus avait des mâchoires d'une largeur incroyable, armées de 600 dents pointues. Il se nourrissait sans doute en balançant son cou au ras du sol et en broutant les plantes comme une gigantesque tondeuse à gazon. On a retrouvé presque tout le squelette de ce dinosaure.

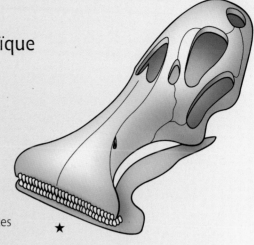

★

La gueule de Nigersaurus est plus large que celle de tous les autres dinosaures découverts jusqu'à présent. Ses mâchoires sont beaucoup plus larges que le reste de sa tête.

★

De couleur sans doute plus vive que celle de la femelle, la membrane dorsale de l'Ouranosaurus mâle devait lui servir à attirer des partenaires.

Un supercroco

Un supercrocodile, Sarcosuchus, vivait à la même époque et dans la même région que Nigersaurus. Sarcosuchus était deux fois plus grand que les crocodiles actuels et dix fois plus lourd. Ses yeux, situés sur le sommet de la tête, pouvaient pivoter vers le haut, ce qui lui permettait de se tapir dans l'eau afin de guetter ses proies. Il chassait sans doute des dinosaures et d'autres grands animaux.

🖱 Liens Internet

Un article sur la découverte de Sarcosuchus. Pour le lien vers ce site, connecte-toi à : www.usborne-quicklinks.com/fr

Sarcosuchus se tapissait le long des berges des rivières, d'où il attaquait ses victimes, comme Nigersaurus, quand elles venaient s'abreuver.

Dinosaures du désert

NAMIBIE   BOTSWANA   AFRIQUE DU SUD

SWAZILAND

LESOTHO

Bassin du Karoo

Le Cap   Océan Indien

Sur cette carte de l'Afrique australe, le bassin du Karoo est en rouge. Les dinosaures ont été découverts dans la région entourée d'une ligne pointillée.

L e bassin du Karoo est une vaste plaine entourée de montagnes, qui couvre près des deux tiers de la surface de l'Afrique du Sud. Au début du Jurassique, c'était un vaste désert et les dinosaures qui le peuplaient devaient supporter un climat chaud et sec.

Le bassin du Karoo

Le bassin du Karoo se compose d'épaisses couches de roches sédimentaires vieilles de 240 à 190 millions d'années. En examinant les roches de chaque couche, les scientifiques peuvent déterminer le climat qui régnait à l'époque. Nous savons que les dinosaures du début du Jurassique vivaient dans un climat désertique, car les roches du Jurassique se composent de minuscules particules de sable balayées par le vent.

🐾 Liens Internet

Une rubrique sur Heterodontosaurus.
Pour le lien vers ce site, connecte-toi à :
www.usborne-quicklinks.com/fr

À l'abri du soleil

Les dinosaures du Karoo étaient tous relativement petits. C'est peut-être parce qu'une taille réduite était mieux adaptée à la vie dans le désert, leur permettant de se mettre plus facilement à l'abri du soleil. Le plus petit dinosaure du Karoo était Lesothosaurus, à peu près de la taille d'un dindon.

Lesothosaurus vivait sans doute en troupeau pour se protéger des prédateurs, tels que Syntarsus, un théropode à crête.

Bassin du Karoo. Aujourd'hui, il est couvert de graminées et de buissons ligneux.

66

Des terrassiers

Heterodontosaurus dormait peut-être dans son terrier durant la saison chaude.

★

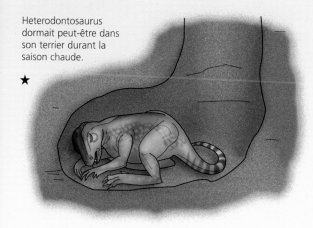

Heterodontosaurus est un autre petit dinosaure véloce du Karoo. Il possédait trois différentes sortes de dents : pour mordre, déchirer et broyer la nourriture. Il avait également de longs doigts et orteils munis de puissantes griffes acérées, qui lui servaient sans doute à creuser. Comme de nombreux animaux du désert actuels, Heterodontosaurus s'abritait peut-être de la chaleur du soleil en creusant des terriers dans le sable.

Le roi du Karoo

Avec ses 4 m de long, Massospondylus, un prosauropode, était le plus grand dinosaure du Karoo. Toutefois, sans la queue et le cou, il ne dépassait pas la taille d'un petit poney. Massospondylus possédait de grosses pattes, qui lui auraient permis de déterrer des plantes et des racines et de trouver de l'eau sous terre.

Des fissures

Le bassin du Karoo chevauchait autrefois la frontière entre les plaques Afrique et Antarctique. Quand la Pangée a commencé à se disloquer, il y a 190 millions d'années, les deux plaques se sont écartées et des fissures sont apparues dans le Karoo. De la roche fondue brûlante, ou lave, s'est déversée par les fissures, recouvrant deux millions de km^2 de terre. La plupart des dinosaures et des autres animaux auraient réussi à fuir cette catastrophe et à se réfugier ailleurs. Cependant, la destruction de leur habitat par la lave aurait empêché les animaux de vivre dans le Karoo pendant de nombreuses années.

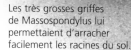

Les très grosses griffes de Massospondylus lui permettaient d'arracher facilement les racines du sol.

Expédition monstre

C'est dans les collines reculées de Tendaguru, en Tanzanie, un pays d'Afrique orientale, que s'est rendue l'une des plus grandes expéditions de recherche de dinosaures jamais organisée. Regroupant plus de 900 personnes, elle a duré de 1909 à 1913. Elle a permis de découvrir dix différents types des dinosaures, datant tous de la fin du Jurassique.

Tendaguru est au sud de la Tanzanie. Les os de dinosaures étaient expédiés en Allemagne de Lindi, le port le plus proche.

Des ossements par milliers

L'expédition de Tendaguru avait été organisée par une équipe de scientifiques allemands. Ils ont recruté des habitants pour creuser des fosses dans toute la région. Les ossements découverts ont été transportés jusqu'à un port situé à quatre jours de marche, d'où ils étaient expédiés en Allemagne. En quatre ans, ces travailleurs ont dégagé 250 tonnes d'ossements et effectué près de 5 000 trajets entre le site et le port.

Des sites semblables

Un grand nombre des espèces de Tendaguru ont également été découvertes au Dinosaur National Monument dans l'Utah, en Amérique du Nord. L'Afrique et l'Amérique du Nord étant reliées à la fin du Jurassique, les dinosaures pouvaient aller de l'une à l'autre. Ainsi, les deux sites recélaient des fossiles d'Allosaurus et de Ceratosaurus, des théropodes. À Tendaguru, on a trouvé seulement quelques dents de Ceratosaurus, mais d'après leur taille, elles auraient appartenu à l'une des plus grandes espèces de cératosaure.

Les cératosaures mâles possédaient des cornes pointues sur la tête. Deux mâles rivaux se battaient en s'envoyant des coups de cornes.

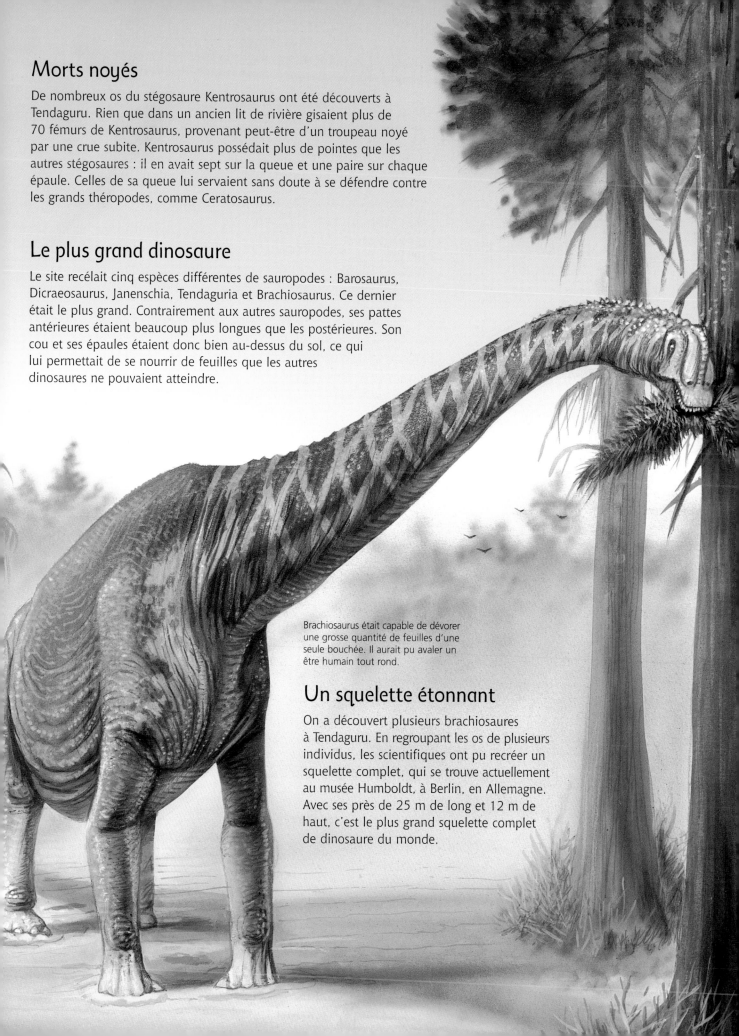

Morts noyés

De nombreux os du stégosaure Kentrosaurus ont été découverts à
Tendaguru. Rien que dans un ancien lit de rivière gisaient plus de
70 fémurs de Kentrosaurus, provenant peut-être d'un troupeau noyé
par une crue subite. Kentrosaurus possédait plus de pointes que les
autres stégosaures : il en avait sept sur la queue et une paire sur chaque
épaule. Celles de sa queue lui servaient sans doute à se défendre contre
les grands théropodes, comme Ceratosaurus.

Le plus grand dinosaure

Le site recélait cinq espèces différentes de sauropodes : Barosaurus,
Dicraeosaurus, Janenschia, Tendaguria et Brachiosaurus. Ce dernier
était le plus grand. Contrairement aux autres sauropodes, ses pattes
antérieures étaient beaucoup plus longues que les postérieures. Son
cou et ses épaules étaient donc bien au-dessus du sol, ce qui
lui permettait de se nourrir de feuilles que les autres
dinosaures ne pouvaient atteindre.

Brachiosaurus était capable de dévorer
une grosse quantité de feuilles d'une
seule bouchée. Il aurait pu avaler un
être humain tout rond.

Un squelette étonnant

On a découvert plusieurs brachiosaures
à Tendaguru. En regroupant les os de plusieurs
individus, les scientifiques ont pu recréer un
squelette complet, qui se trouve actuellement
au musée Humboldt, à Berlin, en Allemagne.
Avec ses près de 25 m de long et 12 m de
haut, c'est le plus grand squelette complet
de dinosaure du monde.

Les dinosaures perdus d'Égypte

Cette carte de l'Égypte représente l'oasis de Bahariya, le site où ont été trouvés plusieurs dinosaures de la fin du Crétacé.

Au début des années 1900, Ernst Stromer, un paléontologue allemand, a découvert un gisement d'ossements de dinosaures dans le Sahara, en Égypte. Emportés en Allemagne, ces fossiles ont été entreposés dans un musée. Pendant la Deuxième Guerre mondiale, en 1944, un bombardement a détruit le musée avec tous les fossiles collectionnés par Stromer.

Des ossements perdus

Stromer a découvert les théropodes Spinosaurus, Bahariasaurus et Carcharodontosaurus et le titanosaure Aegyptosaurus. Depuis la destruction des fossiles, toutes les informations dont disposent les scientifiques sur ces dinosaures reposent sur les descriptions détaillées de Stromer.

Un spinosaure à museau allongé

Spinosaurus est le tout premier spinosaure que l'on ait jamais découvert. Il avait le museau allongé et des dents droites et étroites, semblables à celles des crocodiles. Comme eux, il avait un régime alimentaire varié. Il se nourrissait sans doute de poissons, ainsi que d'autres dinosaures. C'était probablement le plus grand de tous les théropodes. Il pouvait atteindre 15 m et arborait une énorme voile sur le dos, ce qui le faisait paraître encore plus grand.

Spinosaurus pouvait plonger le museau dans l'eau pour pêcher tout en continuant à respirer, car ses narines étaient loin du bout de son museau.

Un dinosaure à dents de requin

Ernst Stromer ne connaissait de Carcharodontosaurus que sa taille énorme et ses grandes dents triangulaires comme celles d'un requin. Puis, en 1995, on a découvert un énorme crâne au Maroc.

Ce crâne a confirmé que Carcharodontosaurus était l'un des plus grands dinosaures carnivores et qu'il était étroitement apparenté à Giganotosaurus, d'Amérique du Sud. Ces deux espèces partageaient peut-être un ancêtre commun qui datait de l'époque où l'Amérique du Sud et l'Afrique étaient rattachées ; quand les continents se sont séparés, cet animal a évolué vers deux types de dinosaures différents.

Ce crâne de Carcharodontosaurus mesure 1,5 m de long. Son propriétaire avait des dents très acérées et puissantes qui lui auraient permis de déchirer la chair de ses proies.

Un marécage au Sahara

En 2000, une équipe de paléontologues est partie pour essayer de retrouver le site de Stromer dans l'oasis de Bahariya. Comme ce dernier n'avait pas laissé de carte, elle a dû retrouver le site d'après ses descriptions du paysage. Aujourd'hui, cette oasis est un désert chaud et aride, mais en étudiant les roches qui s'y trouvent, l'expédition a conclu qu'à la fin du Crétacé, ce lieu était un marécage peuplé d'une grande diversité d'animaux, y compris des tortues d'eau, des crocodiles et des poissons.

Une nouvelle découverte

L'expédition a également découvert des fossiles d'un nouveau titanosaure, Paralititan. C'est le premier nouveau dinosaure trouvé en Égypte depuis 1916 et peut-être également le deuxième plus grand dinosaure connu. Une dent de théropode gisait tout près. Il est possible qu'un théropode se soit nourri des restes de Paralititan ou que cette dent provienne d'un dinosaure qui l'aurait attaqué et tué.

L'humérus de Paralititan était si lourd que sept membres de l'expédition ont dû s'y mettre pour le soulever du sol.

 Liens Internet

Pour en savoir plus sur les dinosaures présentés sur ces deux pages.
Pour le lien vers ce site, connecte-toi à :
www.usborne-quicklinks.com/fr

L'Europe

Des dinosaures vivaient sans doute dans toute l'Europe, mais aujourd'hui, les pays européens sont souvent si peuplés qu'il est difficile de faire des fouilles pour trouver des fossiles. Néanmoins, ce continent possède une longue tradition de prospection et de recherche dans ce domaine.

Un marais tropical

Au début du Mésozoïque, il régnait en Europe un climat chaud et sec. Par la suite, durant le Crétacé, celui-ci a évolué. Devenu plus tropical, il a donné naissance à un paysage de rivières, de marais et de forêts luxuriantes, sans doute semblable à la région marécageuse des Everglades, en Floride, aux États-Unis, qui abrite un grand nombre des reptiles actuels. Une grande variété de dinosaures variés peuplait l'Europe au Crétacé, parmi lesquels des ankylosaures, des hadrosaures et des sauropodes.

Cette illustration représente un troupeau de platéosaures venant s'abreuver dans une rivière. On en a découvert de nombreux en Allemagne, en France et en Suisse.

Le dinosaure européen

L'un des dinosaures les plus répandus d'Europe était Plateosaurus, un prosauropode à long cou de la fin du Trias. Des squelettes de Plateosaurus ont été découverts à plus de 50 endroits sur l'ensemble du continent. Le site le plus important se trouve à Trossingen, en Allemagne, où l'on a mis au jour des centaines de squelettes bien conservés.

C'est en Europe centrale et occidentale que l'on a trouvé le plus de dinosaures. Le sud de l'Angleterre en particulier recèle de nombreux vestiges. Pour en savoir plus, consulte les pages 76-77.

De nombreux squelettes d'iguanodons ont été découverts à Bernissart, en Belgique. Tu trouveras d'autres informations sur ce site aux pages 74-75.

Pour en savoir plus sur les nombreux dinosaures de l'île de Wight, voir les pages 78-79.

NORVÈGE

SUÈDE

IRLANDE

ROYAUME-UNI

Megalosaurus

Scelidosaurus

Baryonyx

ALLEMAGNE

Iguanodon

Bernissart

Archaeopteryx

Plateosaurus

Compsogna

Plateosaurus

FRANCE

Plateosaurus

SUISSE

Telmatosaurus

Compsognathus

Variraptor

ITALIE

Pelecanimimus

PORTUGAL

Allosaurus

Iguanodon

Scipionyx

Hypsilophodon

Dacentrurus

ESPAGNE

Vilain Variraptor

Encore récemment, les scientifiques pensaient que l'Europe ne recélait aucun dromaeosaure, un dinosaure carnivore. Toutefois, on en a trouvé quelques fragments, y compris de Variraptor, une espèce de la fin du Crétacé découverte en 1998 en France. Cet animal possédait des pattes antérieures puissantes et des dents acérées, ainsi que les griffes postérieures allongées et recourbées typiques des dromaeosaures.

Variraptor attaquait sans doute en bande, en sautant sur sa proie et en déchirant sa chair de ses longues griffes.

Quasiment aucun dinosaure n'a été découvert en Europe septentrionale et orientale. En effet, peu de roches du Mésozoïque affleurent dans ces régions et les travaux de recherche y ont été limités.

FINLANDE

ESTONIE

LETTONIE

LITUANIE

BIÉLORUSSIE

RUSSIE

OGNE

UKRAINE

MOLDAVIE

ROUMANIE

Valdosaurus

Struthiosaurus

BULGARIE

TURQUIE

GRÈCE

Petit et véloce

Compsognathus était un minuscule théropode de la fin du Jurassique. Seuls deux squelettes ont été retrouvés, tous deux en Europe. L'un, en presque parfait état de conservation, a été trouvé en 1859, à Solnhofen, en Allemagne. Jusqu'à son dernier repas, un lézard, était fossilisé à l'intérieur de sa cage thoracique.

Ce squelette de Compsognathus qui provient de Solnhofen, en Allemagne, est presque complet. Son cou est replié sur son dos, tandis que sa longue queue et ses pattes postérieures sont déployées vers la gauche.

Une mine d'iguanodons

L'une des trouvailles les plus importantes faites en Europe est celle de 30 squelettes complets d'iguanodons. Ces os ont été découverts dans une mine de charbon belge et font d'Iguanodon l'un des dinosaures les plus étudiés du monde.

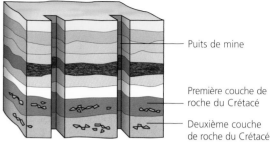

Schéma de la mine de Bernissart. Les squelettes d'iguanodons ont été découverts dans les profondeurs de la terre, dans deux couches séparées de roche du début du Crétacé.

Un coup de chance

Les os d'iguanodons ont été découverts par hasard, en 1878, par des mineurs qui extrayaient du charbon en Belgique occidentale. Ils ont demandé l'aide d'un scientifique, qui a identifié les squelettes. Après des fouilles de grande ampleur, quatre troupeaux d'iguanodons on été mis au jour. Il y en avait peut-être d'autres, mais le projet a été interrompu dans les années 1920 pour manque de fonds et quelques années plus tard, la mine a été inondée.

La région où la mine de Bernissart a été par la suite creusée était fortement peuplée d'iguanodons. Ils vivaient en grands troupeaux.

Grands et petits

La plupart des squelettes d'iguanodons découverts dans la mine appartenaient à une nouvelle espèce, qui a été baptisée Iguanodon bernissartensis, d'après le village voisin de Bernissart. Ces dinosaures herbivores atteignaient les 9 m de long. Toutefois, deux d'entre eux étaient des Iguanodon atherfieldensis, une espèce plus petite et plus gracile. Quelques fossiles de cette espèce avaient déjà été découverts en Europe.

Reconstitution

Les iguanodons belges ont changé radicalement l'opinion des scientifiques sur l'apparence de ce dinosaure. Non seulement les squelettes étaient presque complets, mais ils étaient articulés, ce qui a permis aux scientifiques de voir comment les os s'assemblaient. Comme auparavant, ils ne disposaient que de quelques fragments, ils avaient déduit que c'était un animal trapu au museau doté d'une corne. Les nouveaux squelettes ont montré que l'iguanodon était plus élancé et plus long et que sa corne était en fait une pointe de pouce.

🐾 Liens Internet

Pars à la découverte des extraordinaires iguanodons de Bernissart.

Pour le lien vers ce site, connecte-toi à :

www.usborne-quicklinks.com/fr

Ce modèle d'Iguanodon a été réalisé en 1854, quand les scientifiques l'imaginaient corpulent et trapu, comme la plupart des dinosaures.

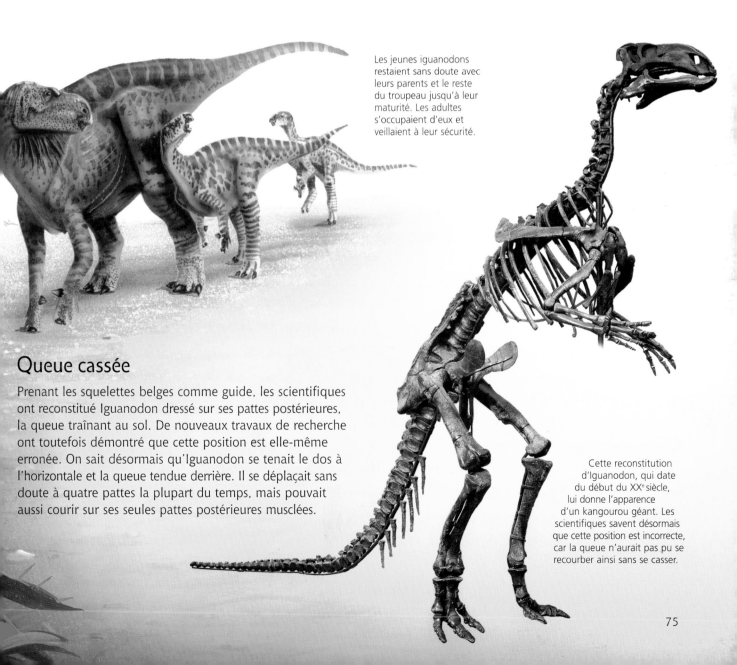

Les jeunes iguanodons restaient sans doute avec leurs parents et le reste du troupeau jusqu'à leur maturité. Les adultes s'occupaient d'eux et veillaient à leur sécurité.

Queue cassée

Prenant les squelettes belges comme guide, les scientifiques ont reconstitué Iguanodon dressé sur ses pattes postérieures, la queue traînant au sol. De nouveaux travaux de recherche ont toutefois démontré que cette position est elle-même erronée. On sait désormais qu'Iguanodon se tenait le dos à l'horizontale et la queue tendue derrière. Il se déplaçait sans doute à quatre pattes la plupart du temps, mais pouvait aussi courir sur ses seules pattes postérieures musclées.

Cette reconstitution d'Iguanodon, qui date du début du XXᵉ siècle, lui donne l'apparence d'un kangourou géant. Les scientifiques savent désormais que cette position est incorrecte, car la queue n'aurait pas pu se recourber ainsi sans se casser.

Côte du Dorset, en Angleterre. L'érosion par le vent,
la mer et la pluie crée non seulement des reliefs comme
cette arche rocheuse, mais dégage également des étendues
importantes de roches du Jurassique et du Crétacé.

Des dinosaures en Angleterre

On a découvert beaucoup de fossiles de dinosaures
en Angleterre, surtout dans le sud, où affleurent
de grandes étendues de roches du Jurassique et du
Crétacé. On en a également exhumé de semblables
dans d'autres pays européens, car, au Mésozoïque,
l'Angleterre était reliée à l'Europe continentale.

Trias
Jurassique
Crétacé

Cette carte montre les régions d'Angleterre renfermant
des roches du Mésozoïque. La bande de roches du Crétacé,
appelée Weald, se prolonge en Europe continentale.

Megalosaurus

Megalosaurus, un grand théropode du Jurassique moyen, est l'un
des premiers dinosaures découverts en Angleterre. Il a été baptisé
en 1824, après la découverte de plusieurs fossiles, dont une
mâchoire inférieure encore hérissée de dents. Bien que
beaucoup de fossiles découverts par la suite
aient été attribués à Megalosaurus, on pense
aujourd'hui qu'ils appartiennent à d'autres
espèces. En fait, les paléontologues
ne disposent que d'un petit nombre
d'os de ce dinosaure, et de quelques
empreintes de pas indiquant que
c'était un bipède.

Mâchoire de Megalosaurus, encore pourvue de ses
grandes dents. À la base de chacune d'entre elles, on voit poindre
une dent nouvelle destinée à remplacer progressivement la vieille.

Un dinosaure cuirassé

En 1858, un squelette presque complet a été découvert dans une roche du début du Jurassique, dans le Dorset, au sud-ouest de l'Angleterre. Ce dinosaure, baptisé Scelidosaurus, était petit, mais solidement bâti, et présentait des excroissances osseuses le long du cou, du dos, des flancs et de la queue. Des études récentes indiquent qu'il s'agit d'un ankylosaure primitif. Depuis cette première découverte, on a trouvé un autre squelette et d'autres fragments sur le même site. Comme tous ces vestiges proviennent d'une roche marine, il est possible que ces dinosaures aient été emportés dans la mer par une rivière après leur mort.

🦕 **Liens Internet**

À lire : des faits et des actualités sur les dinosaures.

Pour le lien vers ce site, connecte-toi à : www.usborne-quicklinks.com/fr

Scelidosaurus n'était pas aussi fortement cuirassé que les ankylosaures d'époques postérieures, mais ses rangées d'excroissances et les pointes sur son cou devaient quand même dissuader les prédateurs.

Une griffe géante

En 1983, un paléontologue amateur a découvert une énorme griffe fossilisée dans une carrière d'argile du Surrey, dans le sud-est de l'Angleterre. Elle appartenait à un dinosaure du début du Crétacé que les scientifiques ont baptisé Baryonyx, ce qui veut dire « griffe pesante ». Par la suite, d'autres os du même squelette, y compris plusieurs griffes plus petites, ont été mis au jour. Baryonyx était un spinosaure et se servait sans doute de sa griffe géante pour harponner les poissons dans l'eau. Selon les scientifiques, les pattes antérieures de ce dinosaure étaient dotées de trois griffes, dont une géante.

Baryonyx, un piscivore, se servait sans doute de l'énorme griffe recourbée qu'il avait au pouce pour harponner les poissons dans l'eau. Avec ses pattes antérieures musclées, il devait pouvoir attraper de gros poissons.

L'île aux dinosaures

L'île de Wight est une petite île située au large du sud de l'Angleterre. À l'époque des dinosaures, elle lui était reliée, mais la montée du niveau de la mer, il y a 10 000 ans, l'a séparée de l'Angleterre. On y a découvert davantage de vestiges de dinosaures que partout ailleurs en Europe.

Alum Bay, sur la côte ouest de l'île de Wight. L'érosion a dégagé des roches de la fin du Crétacé.

Des fossiles partout

L'île de Wight est un bon endroit pour trouver des fossiles car son littoral, exposé au vent, à la pluie et à la mer, est constamment érodé. Des milliers de fossiles sont mis à nu chaque année, mais un grand nombre d'entre eux sont emportés par la mer avant que les paléontologues aient pu les récupérer. On a découvert sur l'île de nombreux dinosaures du début du Crétacé, en majeure partie des iguanodons et des hypsilophodontes. Le plus grand trouvé jusqu'à présent est un brachiosaure de 15 m de long, de la tête à la queue.

Cowes

Ryde

Yarmouth

Newport

Polacanthus

Neovenator

Iguanodon

Eotyrannus

Iguanodon

Yaverlandia

Hysilophodon

Les zones en rouge, sur les côtes orientale et occidentale de l'île de Wight, représentent les parties de l'île riches en fossiles. Sur la carte, sont également marqués les noms des dinosaures que l'on a découverts.

Des milliers de squelettes

Sur la côte ouest de l'île de Wight se trouve un énorme gisement de fossiles, qui contient peut-être jusqu'à 5 000 Hypsilophodontes. Ces petits ornithopodes bipèdes étaient répandus en Europe au début du Crétacé. Les premières reconstitutions les représentaient avec un des orteils tourné vers l'arrière. Ce qui amena certains scientifiques à penser qu'ils vivaient dans les arbres et se servaient de leurs orteils pour s'agripper aux branches comme les oiseaux. Cependant, ils croient aujourd'hui que tous leurs orteils étaient tournés vers l'avant et que c'étaient des coureurs rapides.

Les hypsilophodontes étaient véloces et agiles : les adultes en bonne santé pouvaient sans doute distancer un grand prédateur comme Neovenator.

Le prédateur de l'île

En 1978, sur l'île de Wight, les paléontologues ont découvert le squelette d'un grand carnivore qu'ils ont baptisé par la suite Neovenator. Celui-ci ressemblait à Allosaurus et aurait été l'un des principaux prédateurs de la région, s'attaquant à des animaux tels que les iguanodons, les hypsilophodontes et même de grands sauropodes.

Neovenator était un dinosaure féroce et agile. Il attaquait les autres animaux à l'aide de ses grandes griffes et de ses dents très pointues.

Une nouvelle découverte

Le dinosaure découvert le plus récemment sur l'île de Wight est un fossile d'Eotyrannus, qui a été baptisé en 2001. Cet animal était un ancêtre de Tyrannosaurus, mais de plus petite taille. Il ne reste même pas la moitié du squelette, mais les scientifiques ont néanmoins pu en déduire qu'Eotyrannus avait des membres allongés et élancés et qu'il était sans doute véloce. Il est probablement mort jeune, car un grand nombre de ses os ne sont pas pleinement formés.

★ Les pattes antérieures d'Eotyrannus étaient plus longues que celles de Tyrannosaurus et son crâne plus petit par rapport à son corps.

★ Tyrannosaurus était beaucoup plus gros qu'Eotyrannus, mais ses tibias et les os de ses pieds étaient de longueur semblable.

L'Asie

C'est en Asie qu'ont été découverts les premiers fossiles de dinosaures. Des documents chinois datant de l'an 265 mentionnent la présence « d'os de dragons », qui seraient en fait des vestiges de dinosaures. Un quart de tous les dinosaures connus proviennent d'Asie, et la plupart des fossiles, de Chine et de Mongolie.

Cette carte présente deux des plus importants sites de dinosaures de l'Asie – à Liaoning, en Chine, et dans le désert de Gobi, en Mongolie, ainsi que quelques-uns des autres grands sites dans le reste de l'Asie.

Les sauropodes du Sichuan

Les premiers sauropodes découverts en Chine ont été trouvés dans le Sichuan, en 1913. Cette région est désormais célèbre car elle renferme plus de dinosaures du Jurassique moyen que tout autre partie du monde. Les dinosaures du Sichuan comprennent Huayangosaurus, un stégosaure, Shunosaurus, un sauropode à queue en massue, et Mamenchisaurus, qui avait le cou le plus long de tous les dinosaures.

Cet endroit a fourni plus de découvertes de dinosaures que tout le reste de l'Asie. Voir pages 84-87.

RUSSIE

Amurosaurus

Chilantaisaurus

TURQUIE

KAZAKHSTAN

Kulceratops

Jaxartosaurus

Psittacosaurus

Therizinosaurus

Désert de Gobi

OUZBÉKISTAN

IRAK

IRAN

AFGHANISTAN

CHINE

Huayangosaurus

Mamenchisaurus

Shunosaurus

ARABIE SAOUDITE

PAKISTAN

Titanosaurus

Indosuchus

INDE

Alwalkeria

Barapasaurus

Shunosaurus se défendait contre les théropodes qui l'attaquaient à l'aide de sa queue en massue.

Les dinosaures indiens

Pendant la majeure partie du Mésozoïque, l'Inde était rattachée au Gondwana et séparée du reste de l'Asie. Aussi, les dinosaures indiens ressemblent plus à ceux des autres continents gondwaniens qu'aux dinosaures asiatiques. Des théropodes appelés abélisaures, par exemple, ont été découverts en Inde, en Afrique et en Amérique du Sud, mais pas dans le reste de l'Asie.

Des griffes géantes

Les thérizinosaures, découverts surtout en Asie, comptent parmi les dinosaures à l'aspect le plus étrange. Ils ressemblaient un peu à des oiseaux géants. Ils atteignaient 10 m de longueur, avaient le corps couvert de plumes et un bec édenté au bout du museau. Therizinosaurus, le plus grand des thérizinosaures, avait également d'énormes griffes de 70 cm aux pattes antérieures. Les scientifiques pensent qu'il s'en servait pour atteindre sa nourriture.

Alxasaurus

Alectrosaurus

Tsintaosaurus

JAPON

Fukuiraptor

Liaoning

Pukyongosaurus

Des découvertes spectaculaires de dinosaures à plumes ont été faites ici. Voir les pages 82-83.

Wakinosaurus

Tangvayosaurus

LAOS

Isanosaurus

THAÏLANDE

MALAISIE

Therizinosaurus attirait les branches à portée de sa gueule avec ses longues griffes. Il coupait sans doute les feuilles avec son bec acéré.

Des dinosaures à plumes

Sur cette carte, la province du Liaoning, en Chine, est entourée d'une ligne pointillée. Le carré rouge montre l'endroit où ont été découverts les dinosaures à plumes.

Dans les années 1990, plusieurs découvertes faites dans le Liaoning, une province du nord de la Chine, ont révolutionné les théories sur les dinosaures. Les scientifiques ont découvert des fossiles de petits théropodes emplumés, apportant la preuve que les oiseaux descendent directement des dinosaures.

Sous la cendre

Les fossiles du Liaoning datent du début du Crétacé, quand cette région boisée abondait en êtres vivants. Des volcans voisins éjectaient parfois des gaz toxiques et de la cendre dans l'air, tuant les animaux qui vivaient aux alentours. Certains ont été ensevelis sous une fine cendre volcanique, et leurs fossiles conservent des détails d'une précision étonnante.

Les premières plumes

Sinosauropteryx a été découvert en 1996. C'est le premier fossile de dinosaure portant des traces d'un léger plumage sur certaines parties de son corps. Les scientifiques pensent que ce duvet le protégeait peut-être du froid. Cependant, à part cela, Sinosauropteryx était un théropode typique, doté de dents acérées, de pattes griffues et de bras courts et robustes.

Fossile de Sinosauropteryx. On distingue le contour de son plumage duveteux autour de son corps.

Des bras courts

Découvert en 1997, Caudipteryx est le troisième dinosaure à plumes mis au jour dans le Liaoning. Il ressemblait encore plus à un oiseau que Sinosauropteryx. Sur son fossile, on remarque des plumes courtes et duveteuses sur la majeure partie de son corps, et des plumes plus longues et plus raides sur la queue et les bras. Toutefois, ceux-ci étaient trop courts pour lui permettre de voler.

Caudipteryx déployait peut-être ses plumes comme le font aujourd'hui les oiseaux pour attirer les femelles.

Un dinosaure grimpeur

Microraptor est le dinosaure emplumé découvert le plus récemment dans le Liaoning. Il avait des griffes pointues et recourbées, semblables à celles des animaux qui grimpent aux arbres, comme les pics et les écureuils. Les scientifiques pensent qu'il pouvait sans doute faire comme eux et qu'il passait une bonne partie de son temps dans les arbres. Comme la plupart des oiseaux, Microraptor avait un orteil inversé qui lui permettait de s'agripper aux branches et donc de se percher plus facilement dans les arbres.

Avec ses membres dotés de plumes extrêmement longues, Microraptor donnait l'impression qu'il avait quatre ailes. Elles lui permettaient sans doute de planer entre les branches.

🐾 Liens Internet

Une rubrique qui traite des dinosaures à plumes.

Pour le lien vers ce site, connecte-toi à :
www.usborne-quicklinks.com/fr

Un dinosaure volant

La découverte, en 2000, d'un fossile de dinosaure surnommé Dave a fait la preuve que les dinosaures proches des oiseaux possédaient beaucoup plus de plumes que ne le pensaient les scientifiques à l'origine. Dave avait des plumes sur les pattes, et du museau jusqu'au bout de la queue. Un scientifique a même affirmé qu'il était capable de voler en battant des ailes.

Des pennes de dinosaures

Les dinosaures emplumés ne sont pas les seuls fossiles intéressants qui proviennent du Liaoning. Un fossile de dinosaure cornu, appelé Psittacosaurus, a démontré pour la première fois que certains dinosaures avaient des pennes. Celles-ci, de longues structures semblables à un cheveu, poussaient au bout de la queue de l'animal. Selon les scientifiques, elles aidaient peut-être les psittacosaures à attirer un partenaire sexuel.

Image fossile de Dave. Il avait plus de plumes que tout autre fossile de dinosaures découvert jusqu'à présent. On distingue clairement les longues plumes qui couvraient son corps.

Dans le désert

Le désert de Gobi, en Mongolie, renferme des fossiles très divers de la fin du Crétacé. C'est aussi un des endroits les plus difficiles à prospecter. Deux fois plus grande que la Grande-Bretagne, cette région ne possède pas de réseau routier et subit des changements de température soudains et extrêmes.

Falaises de Bayanzag, qui entourent une large vallée dans le nord du désert de Gobi. S'étendant sur 5 km, elles sont en grès rouge.

Une riche diversité

À la fin du Crétacé, le désert de Gobi était couvert de dunes, de marais et de rivières. La végétation y était suffisante pour permettre à de nombreux dinosaures, lézards et mammifères primitifs divers d'y subsister. On y a découvert plusieurs espèces de théropodes, ainsi que des sauropodes, des hadrosaures, des pachycéphalosaures et des ankylosaures.

Les falaises à dinosaures

En 1922, une expédition américaine dirigée par Roy Chapman Andrews est partie à la recherche de vestiges des premiers hommes dans le désert de Gobi. L'expédition, ayant perdu son chemin, a fait halte sur les falaises de Bayanzag pour s'orienter. Au bord d'une falaise, le photographe de l'expédition est tombé par hasard sur le crâne du cératopsien Protoceratops. L'expédition n'avait pas le temps de continuer à explorer la région, mais elle est retournée un an plus tard et a découvert le tout premier nid de dinosaures (voir pages 94-95).

Les tempêtes de sable du désert devaient ère dangereuses pour les dinosaures, en particulier pour les jeunes, comme ces petits pinacosaures. Ils ont peut-être essayé de se protéger en s'abritant derrière une dune de sable.

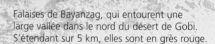

Cette carte de Mongolie indique certains des sites les plus riches en fossiles de dinosaures du désert de Gobi.

Accès interdit

Andrews est retourné encore trois fois aux falaises de Bayanzag pour chercher des dinosaures, mais de 1930 à 1990, les Américains ont été bannis de Mongolie pour des raisons politiques. Pendant cette période, des expéditions russes, polonaises et mongoles ont exploré la région et découvert de nombreux autres fossiles de dinosaures, y compris cinq bébés pinacosaures. Les scientifiques pensent qu'ils ont peut-être été ensevelis ensemble lors d'une tempête de sable.

Un combat mortel

Lors d'une expédition conjointe polonaise et mongole envoyée à Tugrig, les équipes ont découvert deux squelettes de dinosaures qui paraissaient s'agripper. Les bras du dromaeosaure Velociraptor agrippaient le crâne d'un Protoceratops, ce qui indique que ces deux dinosaures se battaient quand ils sont morts. Cela leur a valu le surnom de « dinosaures en combat ». Les scientifiques pensent qu'ils ont été tués lorsqu'une dune s'est effondrée sur eux.

★ Ce dessin d'une patte de Velociraptor montre qu'il pouvait redresser la griffe de son deuxième orteil à 180 degrés.

🦕 Liens Internet

Une fiche sur Velociraptor.
Pour le lien vers ce site, connecte-toi à : www.usborne-quicklinks.com/fr

Des griffes meurtrières

Velociraptor était un prédateur de petite taille, mais meurtrier. Coureur véloce, il avait une griffe flexible mais très acérée sur le deuxième orteil. Il ne la posait pas à terre pour qu'elle reste acérée et puisse lui servir à tout moment. Cette théorie est confirmée par la découverte de ces dinosaures en combat, car cette griffe du deuxième orteil de Velociraptor a été retrouvée enfoncée dans la cage thoracique du Protoceratops.

Velociraptor et Protoceratops se battaient à armes égales. Velociraptor se servait de ses griffes acérées pour déchirer la peau de Protoceratops, mais celui-ci avait un bec coupant, capable d'infliger des blessures graves.

Des sites spectaculaires

Certaines des découvertes les plus étonnantes du désert de Gobi viennent du bassin de Nemegt, une vallée s'étendant sur 4 840 km² dans le sud du désert. Lors de la première expédition, organisée en 1948, une multitude de fossiles a été mise au jour. On continue à en trouver à l'heure actuelle.

Pour attraper Gallimimus, un coureur véloce, Tarbosaurus devait se mettre en embuscade.

Des bras inutiles

Tarbosaurus est le plus grand théropode du bassin de Nemegt. C'était un proche parent de Tyrannosaurus et certains pensent qu'il s'agit peut-être de la même espèce de dinosaure. Il possédait de grosses dents et de puissantes mâchoires, ainsi que des bras incroyablement petits par rapport à son corps. C'était un coureur rapide sur de courtes distances, mais s'il tombait en courant, sa chute devait lui être fatale, car il n'aurait pas réussi à se protéger la tête et le corps avec ses bras atrophiés.

Un dinosaure autruche

Le dinosaure le plus répandu du bassin de Nemegt était l'ornithomimosaure Gallimimus. Il ressemblait à une autruche, mais était deux fois plus grand. Sans doute le dinosaure le plus rapide, Gallimimus atteignait probablement des vitesses de 50 km/h. Cela lui permettait d'échapper à ses prédateurs, mais il était aussi capable d'envoyer de violents coups de ses pattes puissantes.

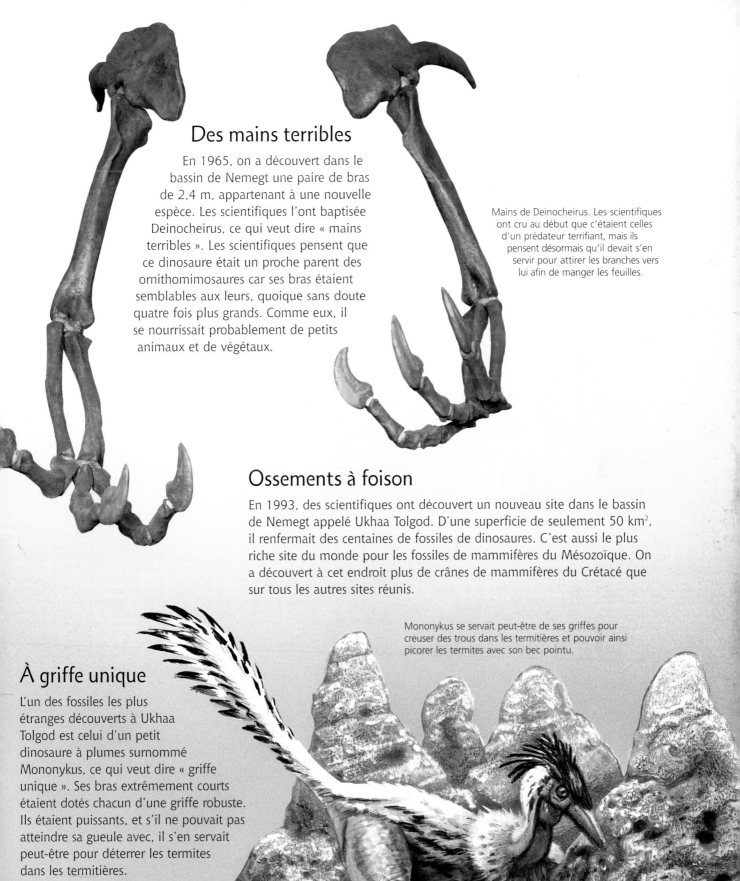

Des mains terribles

En 1965, on a découvert dans le bassin de Nemegt une paire de bras de 2,4 m, appartenant à une nouvelle espèce. Les scientifiques l'ont baptisée Deinocheirus, ce qui veut dire « mains terribles ». Les scientifiques pensent que ce dinosaure était un proche parent des ornithomimosaures car ses bras étaient semblables aux leurs, quoique sans doute quatre fois plus grands. Comme eux, il se nourrissait probablement de petits animaux et de végétaux.

Mains de Deinocheirus. Les scientifiques ont cru au début que c'étaient celles d'un prédateur terrifiant, mais ils pensent désormais qu'il devait s'en servir pour attirer les branches vers lui afin de manger les feuilles.

Ossements à foison

En 1993, des scientifiques ont découvert un nouveau site dans le bassin de Nemegt appelé Ukhaa Tolgod. D'une superficie de seulement 50 km^2, il renfermait des centaines de fossiles de dinosaures. C'est aussi le plus riche site du monde pour les fossiles de mammifères du Mésozoïque. On a découvert à cet endroit plus de crânes de mammifères du Crétacé que sur tous les autres sites réunis.

Mononykus se servait peut-être de ses griffes pour creuser des trous dans les termitières et pouvoir ainsi picorer les termites avec son bec pointu.

À griffe unique

L'un des fossiles les plus étranges découverts à Ukhaa Tolgod est celui d'un petit dinosaure à plumes surnommé Mononykus, ce qui veut dire « griffe unique ». Ses bras extrêmement courts étaient dotés chacun d'une griffe robuste. Ils étaient puissants, et s'il ne pouvait pas atteindre sa gueule avec, il s'en servait peut-être pour déterrer les termites dans les termitières.

L'Océanie

En Océanie, continent qui regroupe l'Australie, la Nouvelle-Zélande et les îles voisines, peu de dinosaures ont été découverts à ce jour, mis à part quelques spécimens ces vingt-cinq dernières années. Le premier fossile de dinosaure a été trouvé en Nouvelle-Zélande en 1979. C'est à une femme, la paléontologue Joan Wiffen, que l'on doit la plupart des découvertes faites dans ce pays.

Jusqu'à présent, on n'a pas découvert de dinosaures en Papouasie-Nouvelle-Guinée. En effet, au Mésozoïque, cette île était immergée.

PAPOUASIE-NOUVELLE-GUINÉE

La plupart des fossiles de dinosaures d'Australie viennent de trois régions situées dans l'est du continent : le sud du Victoria, Lightning Ridge, dans la Nouvelle-Galles-du-Sud, et le Queensland central.

Des dinosaures polaires

Pendant la majeure partie du Mésozoïque, l'Australie et la Nouvelle-Zélande étaient reliées à l'Antarctique, avec lequel elles formaient un vaste continent polaire. Même si, à cette époque, la température du pôle était bien plus élevée qu'aujourd'hui, les dinosaures devaient supporter un climat rude et de longues périodes d'obscurité hivernale.

La Nouvelle-Zélande

Le premier os de dinosaure trouvé en Nouvelle-Zélande est l'orteil d'un grand théropode. Depuis, on a découvert d'autres théropodes, ainsi que des sauropodes, des ornithopodes et des ankylosaures. Toutefois, la plupart des roches du Mésozoïque de Nouvelle-Zélande s'étant formées sous la mer, la majorité des fossiles sont donc ceux d'animaux marins, comme les plésiosaures.

■ Broome

TERRITOIRE DU NORD

Elliot

Minmi

AUSTRALIE

QUEENSLAND

Muttaburrasaurus

AUSTRALIE OCCIDENTALE

Qantassaurus

Rhoetosaurus

AUSTRALIE MÉRIDIONALE

Lightning Ridge ■

Kakuru

NOUVELLE-GALLES-DU-SUD

Fulgurotherium

VICTORIA

■ Dinosaur Cove

On a découvert ici des dinosaures polaires du Crétacé. Voir les pages 90-91.

Le plésiosaure Mauisaurus a été découvert sur l'île du Nord, en Nouvelle-Zélande. Il se nourrissait de poissons et d'autres animaux marins qu'il attrapait de ses dents acérées.

Une pénurie d'ossements

On a découvert relativement peu de dinosaures en Australie par rapport aux autres continents. En effet, il y a dans ce pays peu de paléontologues qui recherchent des fossiles. En outre, les roches du Mésozoïque sont situées sur des terrains très reculés, difficiles d'accès. Toutefois, des découvertes récentes donnent à penser qu'il est fort possible que l'on y trouve des vestiges fascinants.

Le Queensland

Un grand nombre des dinosaures découverts en Australie proviennent de roches du Crétacé dans le Queensland. Parmi ces fossiles, on peut citer le sauropode Rhoetosaurus, une petite espèce d'ankylosaure appelée Minmi et Muttaburrasaurus, un ornithopode d'aspect curieux, arborant une grosse bosse sur le museau. Les scientifiques pensent que le mâle de cette espèce portait des marques de couleurs vives sur le museau.

Le Muttaburrasaurus mâle attirait peut-être l'attention des femelles en agitant le museau devant elles.

On a découvert des reptiles marins du Mésozoïque dans toute la Nouvelle-Zélande, mais jusqu'à présent, c'est seulement sur l'île du Nord que l'on a trouvé des fossiles de dinosaures. Aucun de ces dinosaures n'a encore été baptisé.

ÎLE DU NORD

Ankylosaure

Hypsilophodontidé

NOUVELLE-ZÉLANDE

ÎLE DU SUD

Un géant

Dans les années 1980, d'énormes empreintes de pas de sauropodes ont été découvertes à Broome, en Australie occidentale. Ces empreintes indiquent que des dinosaures gigantesques peuplaient autrefois l'Australie, mais jusqu'à une date récente, les scientifiques n'avaient pas encore trouvé les os confirmant cette hypothèse. Puis, en 1999, un agriculteur a trouvé les restes d'un sauropode à Winston, dans le Queensland. Les scientifiques n'ont pas encore fini de dégager les ossements. Ils l'ont surnommé Elliot, en l'honneur des propriétaires du terrain où les fossiles ont été découverts. Selon les scientifiques, ce dinosaure devrait être le plus grand d'Australie.

Ce schéma reconstitue l'apparence du squelette d'Elliot. Les os découverts jusqu'à présent sont ici représentés en jaune.

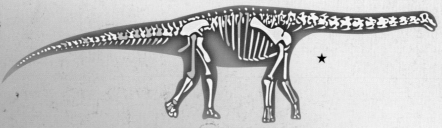

Dinosaur Cove

Dinosaur Cove, sur la côte du Victoria, en Australie méridionale, est l'un des meilleurs endroits pour la prospection des dinosaures. Ses falaises sont constamment érodées par la mer, qui met à nu de vastes étendues de roches mésozoïques.

Dinosaur Cove. C'est là, en 1980, qu'a été découvert le premier fossile de dinosaure. À ce jour, on a trouvé plus de 80 ossements.

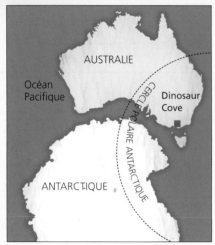

Cette carte illustre la proximité de l'Australie méridionale avec l'Antarctique au début du Crétacé.

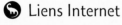 Liens Internet

Une fiche sur Leaellynasaura.

Pour le lien vers ce site, connecte-toi à :

www.usborne-quicklinks.com/fr

Une anse du Crétacé

Les dinosaures de Dinosaur Cove datent tous du début du Crétacé. À cette époque, l'Australie était séparée de l'Antarctique, mais son extrémité méridionale était encore située bien à l'intérieur du cercle polaire antarctique. Dans cette région, il faisait jour 24 heures sur 24 en été et nuit pendant les cinq mois d'hiver. Elle était pourtant boisée, comme le montrent les fossiles de végétaux que l'on a trouvés. On a également découvert des insectes fossilisés.

À l'explosif

Un grand nombre des fossiles de Dinosaur Cove sont enfouis dans des couches incroyablement dures de grès et de mudstone. Pour les atteindre, les paléontologues ont donc dû dégager de grandes parties de la paroi de la falaise à l'explosif.

Un hiver rigoureux

La plupart des dinosaures de Dinosaur Cove étaient de petits ornithopodes, comme Leaellynasaura et Qantassaurus. Les scientifiques ne savent pas comment ils survivaient durant les longs hivers obscurs. En général, les petits animaux n'émigrent pas très loin, car cela demande trop d'énergie, et il semblerait donc qu'ils soient restés dans la région. Peut-être engraissaient-ils durant l'été et cette graisse leur tenait-elle chaud pendant l'hiver, tout en leur fournissant de l'énergie quand il n'y avait pas assez à manger.

Les Leaellynasaura vivaient en groupes. Leur queue raidie leur permettait de garder l'équilibre sur deux pattes.

Prédateurs polaires

On a découvert des fragments d'os de divers théropodes à Dinosaur Cove. Parmi eux se trouvait un tibia appartenant, selon les scientifiques, à un ornithomimosaure, ainsi que l'astragale d'un dinosaure, toujours d'après les spécialistes, de la même famille de théropode qu'Allosaurus. Ces prédateurs chassaient sans doute les petits ornithopodes pendant l'été et ils quittaient Dinosaur Cove à l'arrivée de l'hiver.

L'Antarctique

Jusqu'en 1986, on n'avait découvert aucun dinosaure en Antarctique. Toutefois, depuis, on a trouvé les restes fossilisés de plusieurs espèces différentes, y compris ceux d'un théropode inconnu ailleurs dans le monde.

Cette carte de l'Antarctique représente les dinosaures que l'on y a trouvés jusqu'à ce jour. La plupart des vestiges sont de simples fragments, ce qui explique que les dinosaures n'ont pas encore été nommés.

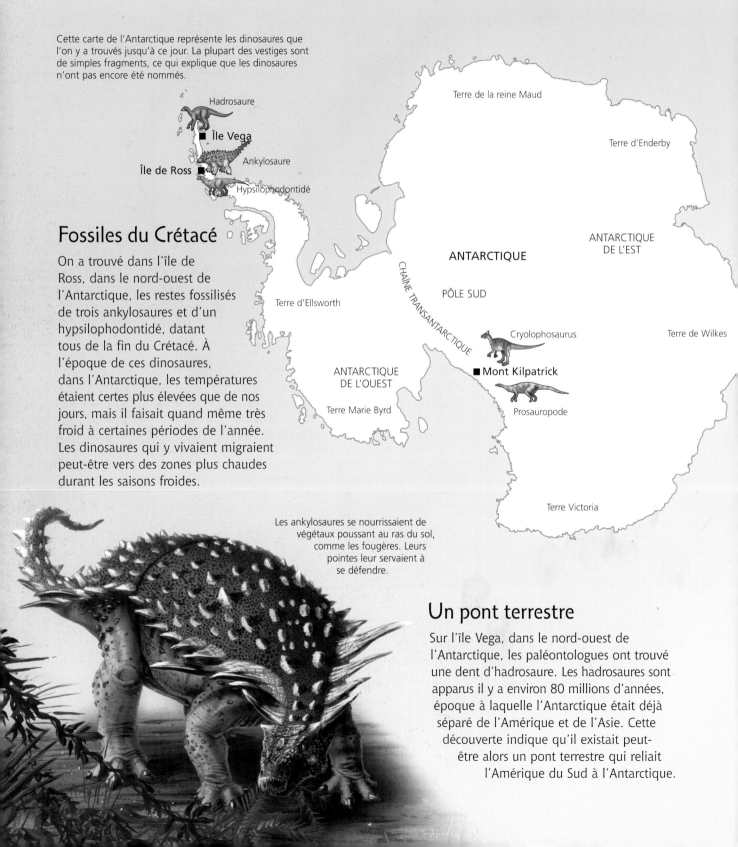

Hadrosaure

■ Île Vega

Île de Ross ■

Ankylosaure

Hypsilophodontidé

Terre de la reine Maud

Terre d'Enderby

ANTARCTIQUE DE L'EST

ANTARCTIQUE

PÔLE SUD

CHAÎNE TRANSANTARCTIQUE

Terre d'Ellsworth

Terre de Wilkes

Cryolophosaurus

■ Mont Kilpatrick

ANTARCTIQUE DE L'OUEST

Terre Marie Byrd

Prosauropode

Terre Victoria

Fossiles du Crétacé

On a trouvé dans l'île de Ross, dans le nord-ouest de l'Antarctique, les restes fossilisés de trois ankylosaures et d'un hypsilophodontidé, datant tous de la fin du Crétacé. À l'époque de ces dinosaures, dans l'Antarctique, les températures étaient certes plus élevées que de nos jours, mais il faisait quand même très froid à certaines périodes de l'année. Les dinosaures qui y vivaient migraient peut-être vers des zones plus chaudes durant les saisons froides.

Les ankylosaures se nourrissaient de végétaux poussant au ras du sol, comme les fougères. Leurs pointes leur servaient à se défendre.

Un pont terrestre

Sur l'île Vega, dans le nord-ouest de l'Antarctique, les paléontologues ont trouvé une dent d'hadrosaure. Les hadrosaures sont apparus il y a environ 80 millions d'années, époque à laquelle l'Antarctique était déjà séparé de l'Amérique et de l'Asie. Cette découverte indique qu'il existait peut-être alors un pont terrestre qui reliait l'Amérique du Sud à l'Antarctique.

Un théropode unique

Cryolophosaurus, un théropode,
a été découvert en Antarctique en
1991. On a trouvé les os de trois
individus sur le mont Kilpatrick, à
3 660 m d'altitude. Cryolophosaurus,
un bipède qui ressemblait sans doute
à Allosaurus, mesurait peut-être
7 m de long. Il possédait sur la
tête une crête de 20 cm tournée
vers l'avant. On n'a découvert
aucun autre théropode avec une
telle crête.

Cryolophosaurus se
servait peut-être de
sa crête pour attirer
les femelles.

Mort étouffé

À côté des restes de Cryolophosaurus
se trouvaient les os fossilisés d'un
prosauropode, dont certains dans
sa gorge. Il est possible que le
prédateur ait été occupé à manger
le prosauropode qu'il avait attaqué
et tué lorsqu'il est mort lui-même. Il
s'est même peut-être étranglé avec
un os de sa proie.

Un terrain difficile

Peu de dinosaures ont été découverts en
Antarctique, car 98 % des terres sont couvertes de glace.
Bien qu'il y ait des affleurements de roches du Mésozoïque,
la plupart d'entre elles sont enfouies sous 5 km d'épaisseur
de glace. Des vents violents et des températures moyennes
de - 50 °C rendent également les expéditions dans cette
région difficiles et dangereuses.

Camp où ont séjourné le paléontologue
William Hammer et son équipe quand ils
ont exhumé Cryolophosaurus.

Des œufs et des nids

Les premiers œufs de dinosaures découverts, en 1859, en France, appartenaient au sauropode Hypselosaurus. C'est bien plus tard, en 1923, dans le désert de Gobi, que l'on a trouvé les premiers nids de dinosaures. Depuis cette date, le nombre de sites spectaculaires, renfermant des œufs et des nids, s'est multiplié.

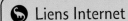 **Liens Internet**

Documente-toi sur les œufs de dinosaures.
Pour le lien vers ce site, connecte-toi à :
www.usborne-quicklinks.com/fr

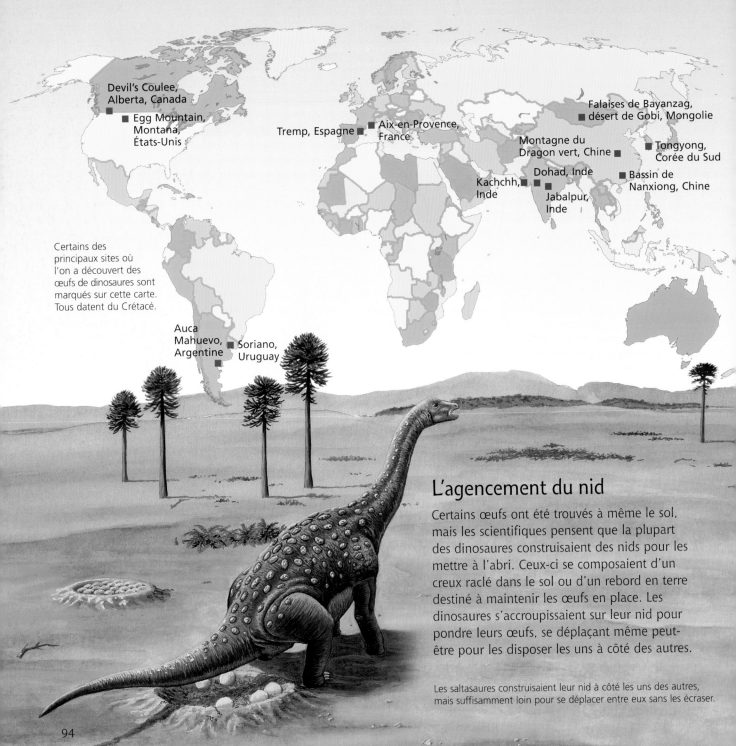

Devil's Coulee, Alberta, Canada

Egg Mountain, Montana, États-Unis

Tremp, Espagne

Aix-en-Provence, France

Falaises de Bayanzag, désert de Gobi, Mongolie

Montagne du Dragon vert, Chine

Tongyong, Corée du Sud

Kachchh, Inde

Dohad, Inde

Jabalpur, Inde

Bassin de Nanxiong, Chine

Certains des principaux sites où l'on a découvert des œufs de dinosaures sont marqués sur cette carte. Tous datent du Crétacé.

Auca Mahuevo, Argentine

Soriano, Uruguay

L'agencement du nid

Certains œufs ont été trouvés à même le sol, mais les scientifiques pensent que la plupart des dinosaures construisaient des nids pour les mettre à l'abri. Ceux-ci se composaient d'un creux raclé dans le sol ou d'un rebord en terre destiné à maintenir les œufs en place. Les dinosaures s'accroupissaient sur leur nid pour pondre leurs œufs, se déplaçant même peut-être pour les disposer les uns à côté des autres.

Les saltasaures construisaient leur nid à côté les uns des autres, mais suffisamment loin pour se déplacer entre eux sans les écraser.

Forme et taille des œufs

Dans les nids de certains dinosaures, jusqu'à trente œufs ont été découverts, souvent disposés en rangées ou en arcs de cercle. Les œufs de dinosaures sont ronds, ou ovales et étroits, et ont une surface ridée et rugueuse. Le plus gros jamais découvert mesure 45 cm de long et provient de Chine orientale. Il appartenait sans doute à Therizinosaurus.

Les œufs d'Oviraptor sont disposés en cercle. La mère les a peut-être placés ainsi après les avoir pondus.

Taille d'un œuf de dinosaure typique par rapport à celle d'un œuf de poule. Étant donné la taille de la plupart des dinosaures adultes, ils pondaient des œufs très petits.

Des découvertes étonnantes

En 1995, des scientifiques en visite dans un village situé près de la montagne du Dragon vert, en Chine, ont découvert des centaines d'œufs de dinosaures enfoncés dans les rues et ressortant de falaises. Ils en ont même trouvé un qui servait de pierre dans le mur d'un bâtiment. Une découverte semblable a été faite à Tremp, en Espagne, où certaines roches sont tellement truffées de fragments d'œufs que les scientifiques les ont baptisées « grès à coquilles d'œufs ».

Nidification collective

Les scientifiques ont découvert quatre grands sites de nids de dinosaures dans le Montana, aux États-Unis, et à Auca Mahuevo, en Argentine. Chaque site renferme environ vingt nids, rapprochés les uns des autres. Cela indique que certains dinosaures se reproduisaient en groupe, peut-être pour se protéger des prédateurs. Au site du Montana, baptisé Egg Mountain, ils ont également mis au jour des nids plus anciens en dessous des premiers. Les dinosaures retournaient sans doute au même endroit chaque année pour pondre leurs œufs.

Après avoir pondu leurs œufs, de nombreux dinosaures les recouvraient de végétation pour les maintenir chauds.

Les bébés dinosaures

Ce modèle représente un oviraptor dans son œuf.

Les scientifiques ont découvert très peu de vestiges de bébés dinosaures. En effet, les os de jeunes dinosaures, très mous et fragiles, se sont rarement bien fossilisés. Il est même assez difficile d'identifier ceux qui ont été préservés.

Dans l'œuf

Le jeune dinosaure grandissait dans l'œuf pendant trois ou quatre semaines avant de sortir. Il respirait grâce à la coquille poreuse et le jaune lui fournissait tous les nutriments dont il avait besoin pour se développer. Cependant, il risquait beaucoup d'être mangé par un prédateur affamé avant d'avoir atteint une taille suffisante pour éclore, car les œufs représentaient une proie facile pour les dinosaures et les petits mammifères.

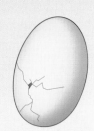

Ce dessin représente un bébé dinosaure qui a commencé à éclore.

Le petit brise la coquille en donnant des coups tout autour.

Pour sortir de l'œuf, le bébé dinosaure brisait la coquille avec une dent pointue située sur son museau. Après l'éclosion, il fallait qu'il ait bien vite à manger, sinon il mourait.

Conservés dans la boue

C'est dans les années 1990, à Auca Mahuevo, en Argentine, qu'on a découvert certains des bébés dinosaures les mieux conservés. Ce site renfermait des milliers d'œufs de titanosaures, dont un grand nombre contenait des bébés fossilisés. En étudiant ces vestiges, les scientifiques ont découvert des dents minuscules, des crânes et même un morceau de peau, écailleuse comme celle d'un lézard. Le bon état de conservation de ces œufs s'explique par le fait qu'ils avaient été ensevelis dans des coulées de boue, ce qui les a empêchés de se décomposer ou d'être mangés.

Reconstitution d'un nid de Maiasaura avec de jeunes dinosaures sortant de l'œuf. À l'éclosion, ils mesuraient environ 25 cm de long.

La protection des œufs

Encore récemment, les scientifiques croyaient
que les dinosaures abandonnaient leurs œufs
après la ponte. C'est presque certainement vrai
des grands sauropodes, qui auraient couru le
risque d'écraser leurs œufs s'ils étaient restés
à côté. Cependant, les scientifiques savent
maintenant que certains dinosaures couvaient
leurs œufs comme les oiseaux. On a ainsi
découvert des oviraptors fossilisés accroupis sur
des nids comme un oiseau en train de couver.

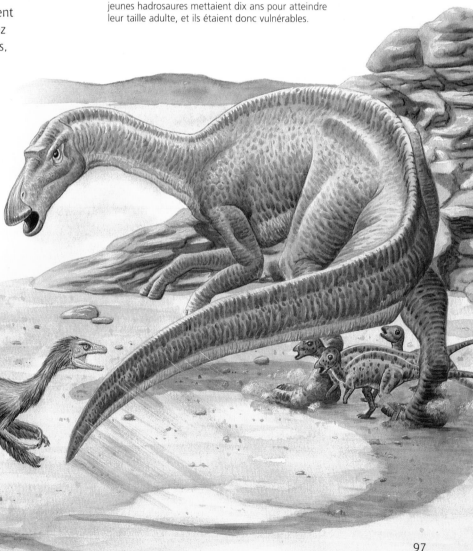

Cet oviraptor du
désert de Gobi a été
fossilisé pendant qu'il
couvait ses œufs. Ses
pattes avant, étendues
sur les côtés, entourent
et protègent les œufs.

 Liens Internet

Un autre site qui traite des œufs et des nids
de dinosaures.

Pour le lien vers ce site, connecte-toi à :
www.usborne-quicklinks.com/fr

Des parents attentifs

Il est possible que quelques espèces se soient
occupées de leur progéniture. En effet, chez
certains dinosaures, comme les hadrosaures,
les pattes étaient peu développées à la
naissance, et ils devaient sans doute être
protégés et nourris par les adultes. À
Egg Mountain, dans le Montana, aux
États-Unis, on a trouvé les vestiges
d'un groupe d'hadrosaures. Il y en
avait de tous les âges, ce qui laisse
supposer que les parents s'occupaient
de leurs petits. Les scientifiques ont
donc baptisé ce type d'hadrosaure
Maiasaura, ce qui signifie « bonne
mère reptile ».

Maiasaura protégeait sans doute ses petits des
prédateurs tels que ces féroces troodons. Les
jeunes hadrosaures mettaient dix ans pour atteindre
leur taille adulte, et ils étaient donc vulnérables.

À la trace

Les empreintes fossilisées sont le type le plus répandu de fossile de dinosaure. On appelle pistes les séries d'empreintes. Elles permettent aux paléontologues d'apprendre un nombre surprenant de choses et de reconstituer la manière dont les dinosaures vivaient.

Identifier les empreintes

Il est rarement possible de savoir avec précision à quelle espèce de dinosaure correspondent certaines empreintes. On peut cependant déterminer à quelle famille appartenait leur auteur, car chacune laissait des traces distinctes. Voici quelques empreintes parmi les plus répandues.

Empreinte d'hadrosaure

Empreinte de théropode

Empreinte de brachiosaure

Tumbler Ridge, Canada

Wyoming, États-Unis

Formation de Kayenta, États-Unis

Dinosaur Ridge, États-Unis

Dinosaur State Park, États-Unis

Purgatory River, États-Unis

Dinosaur Valley State Park, États-Unis

La Paz, Bolivie

Sucre, Bolivie

Paraiba, Brésil

En troupeaux

Un grand nombre de pistes montrent que des dinosaures de même type se déplaçaient en grands groupes. Ils vivaient donc probablement en troupeaux. Les pistes très longues laissées par certains d'entre eux indiquent qu'ils parcouraient des distances importantes aux changements de saison pour chercher à manger ou avoir plus chaud.

En émigrant, les troupeaux de sauropodes piétinaient la boue molle et laissaient des empreintes qui se sont fossilisées par la suite.

Des pistes dans le monde entier

Il subsiste des pistes partout dans le monde. Jusqu'à présent, plus de 1 000 sites ont été découverts, dont un grand nombre en Amérique du Nord. Les plus nettes se sont formées au voisinage de rivières, de lacs et d'océans, où le sol était plat, humide et sablonneux, terrain idéal pour préserver des empreintes.

 **Liens Internet**

Des empreintes de dinosaures en France.
Pour le lien vers ce site, connecte-toi à :
www.usborne-quicklinks.com/fr

Cette carte indique certains des sites de pistes de dinosaures les plus importants du monde.

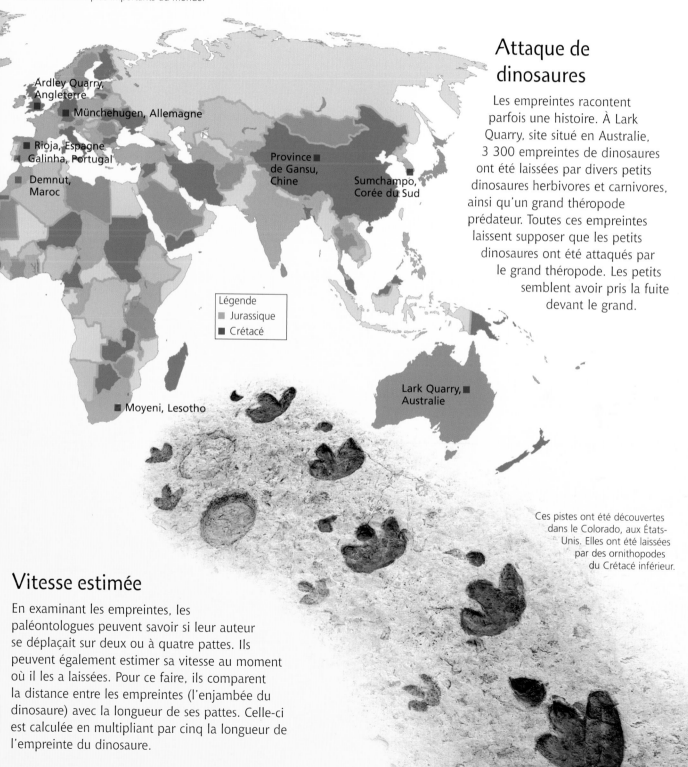

Ardley Quarry, Angleterre
Münchehugen, Allemagne
Rioja, Espagne
Galinha, Portugal
Demnut, Maroc
Province de Gansu, Chine
Sumchampo, Corée du Sud

Légende
■ Jurassique
■ Crétacé

Moyeni, Lesotho

Lark Quarry, Australie

Attaque de dinosaures

Les empreintes racontent parfois une histoire. À Lark Quarry, site situé en Australie, 3 300 empreintes de dinosaures ont été laissées par divers petits dinosaures herbivores et carnivores, ainsi qu'un grand théropode prédateur. Toutes ces empreintes laissent supposer que les petits dinosaures ont été attaqués par le grand théropode. Les petits semblent avoir pris la fuite devant le grand.

Ces pistes ont été découvertes dans le Colorado, aux États-Unis. Elles ont été laissées par des ornithopodes du Crétacé inférieur.

Vitesse estimée

En examinant les empreintes, les paléontologues peuvent savoir si leur auteur se déplaçait sur deux ou à quatre pattes. Ils peuvent également estimer sa vitesse au moment où il les a laissées. Pour ce faire, ils comparent la distance entre les empreintes (l'enjambée du dinosaure) avec la longueur de ses pattes. Celle-ci est calculée en multipliant par cinq la longueur de l'empreinte du dinosaure.

Dans la mer

Pendant que les dinosaures étaient les maîtres de la terre, des reptiles marins étonnants peuplaient les mers et les océans. Cousins très éloignés des dinosaures, ils ont comme eux disparu à la fin du Crétacé.

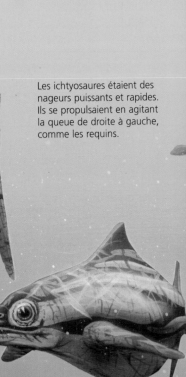

Fossile de Keichousaurus, un pachypleurosaure découvert en Chine. Il a plus de 200 millions d'années.

De la terre à la mer

Il y a environ 290 millions d'années, certains reptiles terrestres se sont mis à passer de plus en plus de temps dans la mer. Ces reptiles se sont progressivement adaptés à la vie dans l'eau. Cependant, ils n'ont jamais acquis les caractéristiques nécessaires pour respirer sous l'eau et ils revenaient inspirer de l'air à la surface. Les pachypleurosaures sont parmi les premiers reptiles à vivre dans l'eau. Ils avaient quatre membres semblables à des pagaies, dotés de pattes palmées dont ils se servaient pour se déplacer sur la terre et dans l'eau.

Des reptiles semblables à des dauphins

Les ichtyosaures étaient remarquablement bien adaptés à la vie sous l'eau. Ils possédaient un corps hydrodynamique et de gros yeux, qui leur permettaient sans doute de voir dans l'obscurité des profondeurs. Une bonne partie de nos connaissances sur les ichtyosaures nous viennent de fossiles en excellent état provenant de Holzmaden, en Allemagne. Certains indiquent le contour d'animaux entiers, y compris les nageoires et les ailerons. On a même découvert un fossile d'ichtyosaure qui met bas.

Les ichtyosaures étaient des nageurs puissants et rapides. Ils se propulsaient en agitant la queue de droite à gauche, comme les requins.

Cryptoclidus, un
plésiosaure, possédait un long cou, qu'il
pouvait tendre dans différentes directions
pour attraper des poissons.

Des avaleurs de pierres

Les plésiosaures étaient un groupe
divers de reptiles carnivores. On
en a découvert des fossiles dans
le monde entier. Ils possédaient
deux paires de nageoires qui
ressemblaient à des ailes, et des
poumons d'une grande capacité,
qui leur permettaient de rester
longtemps sous l'eau. Certains
fossiles de plésiosaures, comme
Styxosaurus, avaient également
des pierres dans l'estomac. Les
scientifiques pensent que quand
leurs poumons étaient pleins d'air,
ces plésiosaures remontaient à la
surface, et ils ont donc peut-être
avalé ces pierres pour mieux
s'enfoncer sous l'eau.

Un long cou

Certains plésiosaures avaient un long cou et une petite
tête, et étaient armés de nombreuses dents pointues et
acérées. Ils chassaient sans doute les petits poissons et
d'autres animaux marins. Selon les scientifiques, ils se
nourrissaient en ingurgitant de l'eau chargée de petites
proies. Ils filtraient ensuite leurs aliments en expulsant
l'eau à travers leurs dents avec leur langue.

Une tête énorme

Certains plésiosaures avaient une tête
énorme, armée de dents meurtrières,
et un cou trapu. On les appelle des
pliosaures. Ils étaient maîtres des eaux
et se nourrissaient d'ichtyosaures,
de plésiosaures à long cou et
même de dinosaures, qu'ils
attrapaient sur le rivage.

Liopleurodon, l'un des plus grands pliosaures, atteignait 15 m de long. Grâce
à ses grandes nageoires en forme de pagaies, il se déplaçait rapidement dans
l'eau. Ses mâchoires massives et ses dents en forme de poignard en faisaient
un prédateur redoutable.

🐾 Liens Internet

Les reptiles marins, avec fiches
d'identité et photos. Pour le lien
vers ce site, connecte-toi à :
www.usborne-quicklinks.com/fr

Des reptiles volants

Les ptérosaures étaient des reptiles ailés. De la taille d'un pigeon à celle d'un petit avion, ils vivaient du Trias supérieur à la fin du Crétacé. On en a découvert des fossiles sur tous les continents, y compris dans l'Antarctique.

Des ailes membraneuses

À part les insectes, les ptérosaures sont les premiers animaux capables de voler en battant des ailes. Leur corps relativement petit et leurs os creux remplis d'air les rendaient très légers. Leurs ailes étaient formées d'une membrane coriace et résistante. Certains arboraient une crête osseuse sur la tête, peut-être ornée de marques de couleurs vives destinées à attirer des partenaires.

Pteranodon

■ Kansas, États-Unis

■ Texas, États-Unis

Sur cette carte, les principaux sites mondiaux de fossiles de ptérosaures sont indiqués par des carrés. Les symboles sont des exemples des espèces découvertes sur chaque site.

■ Pl
d'
Br

Les ptérosaures du Trias

Les fossiles de ptérosaures du Trias sont très rares, et l'un des sites les plus célèbres se trouve près de Bergame, en Italie. On y a découvert des fossiles d'Eudimorphodon, espèce typique des premiers ptérosaures. D'une envergure inférieure à 1 m, il possédait un petit cou, des dents acérées et une longue queue. Par la suite, la queue des ptérosaures s'est raccourcie.

Eudimorphodon se nourrissait d'insectes volants qu'il attrapait en vol.

Des démons velus

Il existe de nombreux sites de fossiles de ptérosaures du Jurassique dans le monde entier, mais deux des meilleurs se trouvent en Bavière, en Allemagne, et dans la chaîne de Karatau, dans le Kazakhstan. On y a découvert des fossiles de ptérosaures, au cou et au corps recouverts de structures semblables à des poils. L'un de ceux du Kazakhstan était doté d'un pelage épais, destiné sans doute à lui tenir chaud. On l'a baptisé Sordes pilosus, ce qui veut dire « démon velu ».

Comme tous les ptérosaures, Sordes pilosus se déplaçait à quatre pattes. Les ptérosaures pouvaient replier leurs ailes contre leur corps quand ils se déplaçaient.

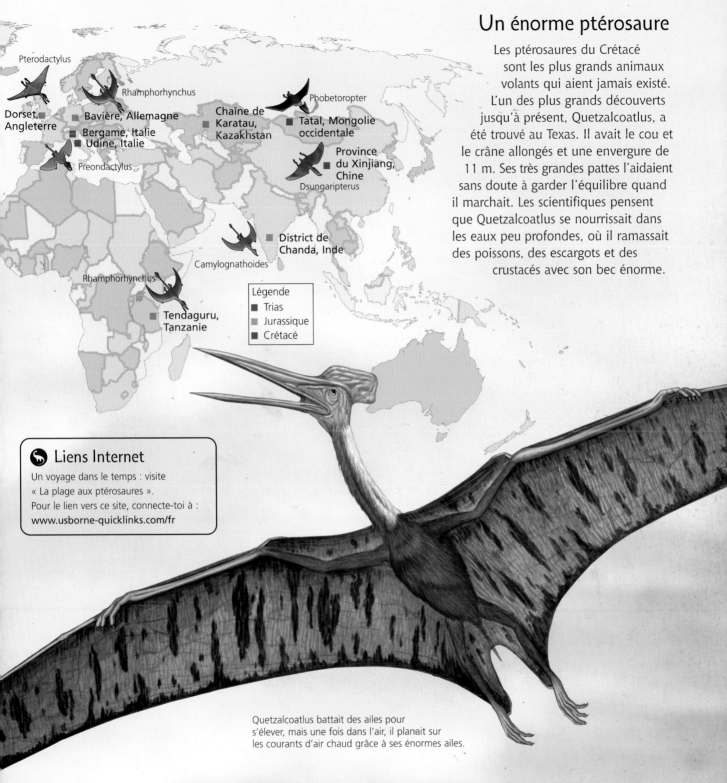

Pterodactylus

Rhamphorhynchus

Dorset,
Angleterre

Bavière, Allemagne
Bergame, Italie
Udine, Italie

Preondactylus

Phobetoropter

Chaîne de
Karatau,
Kazakhstan

Tatal, Mongolie
occidentale

Province
du Xinjiang,
Chine

Dsungaripterus

District de
Chanda, Inde

Camylognathoides

Rhamphorhynchus

Tendaguru,
Tanzanie

Légende

- ■ Trias
- ■ Jurassique
- ■ Crétacé

Un énorme ptérosaure

Les ptérosaures du Crétacé
sont les plus grands animaux
volants qui aient jamais existé.
L'un des plus grands découverts
jusqu'à présent, Quetzalcoatlus, a
été trouvé au Texas. Il avait le cou et
le crâne allongés et une envergure de
11 m. Ses très grandes pattes l'aidaient
sans doute à garder l'équilibre quand
il marchait. Les scientifiques pensent
que Quetzalcoatlus se nourrissait dans
les eaux peu profondes, où il ramassait
des poissons, des escargots et des
crustacés avec son bec énorme.

🦕 Liens Internet

Un voyage dans le temps : visite
« La plage aux ptérosaures ».
Pour le lien vers ce site, connecte-toi à :
www.usborne-quicklinks.com/fr

Quetzalcoatlus battait des ailes pour
s'élever, mais une fois dans l'air, il planait sur
les courants d'air chaud grâce à ses énormes ailes.

Des os brésiliens

On a découvert des centaines de squelettes de
ptérosaures et de poissons fossilisés dans le nord-
est du Brésil, sur les flancs du plateau d'Araripe.
Ce site date du début du Crétacé. À cette époque,
la région était couverte de lagunes poissonneuses
où les ptérosaures venaient se nourrir.

★

Thalassodromeus,
un ptérosaure,
planait au ras de
l'eau, sa mâchoire
inférieure écumant
la surface, prête
à se refermer sur
les poissons.

Les dernières découvertes

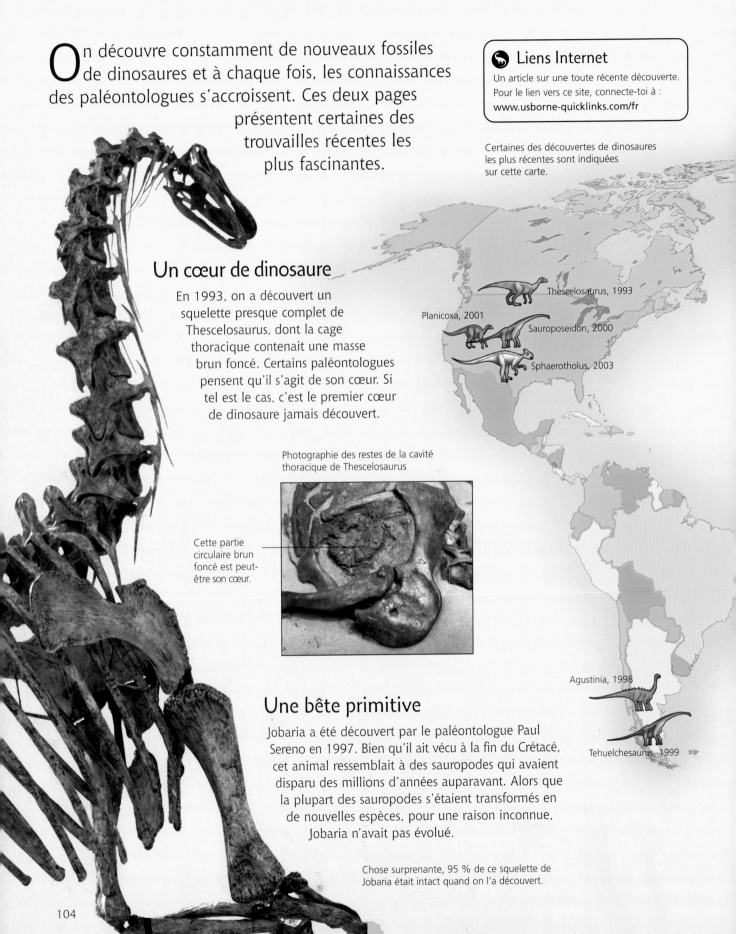

On découvre constamment de nouveaux fossiles de dinosaures et à chaque fois, les connaissances des paléontologues s'accroissent. Ces deux pages présentent certaines des trouvailles récentes les plus fascinantes.

🦕 Liens Internet

Un article sur une toute récente découverte.
Pour le lien vers ce site, connecte-toi à :
www.usborne-quicklinks.com/fr

Certaines des découvertes de dinosaures les plus récentes sont indiquées sur cette carte.

Thescelosaurus, 1993

Planicoxa, 2001

Sauroposeidon, 2000

Sphaerotholus, 2003

Agustinia, 1998

Tehuelchesaurus, 1999

Un cœur de dinosaure

En 1993, on a découvert un squelette presque complet de Thescelosaurus, dont la cage thoracique contenait une masse brun foncé. Certains paléontologues pensent qu'il s'agit de son cœur. Si tel est le cas, c'est le premier cœur de dinosaure jamais découvert.

Photographie des restes de la cavité thoracique de Thescelosaurus

Cette partie circulaire brun foncé est peut-être son cœur.

Une bête primitive

Jobaria a été découvert par le paléontologue Paul Sereno en 1997. Bien qu'il ait vécu à la fin du Crétacé, cet animal ressemblait à des sauropodes qui avaient disparu des millions d'années auparavant. Alors que la plupart des sauropodes s'étaient transformés en de nouvelles espèces, pour une raison inconnue, Jobaria n'avait pas évolué.

Chose surprenante, 95 % de ce squelette de Jobaria était intact quand on l'a découvert.

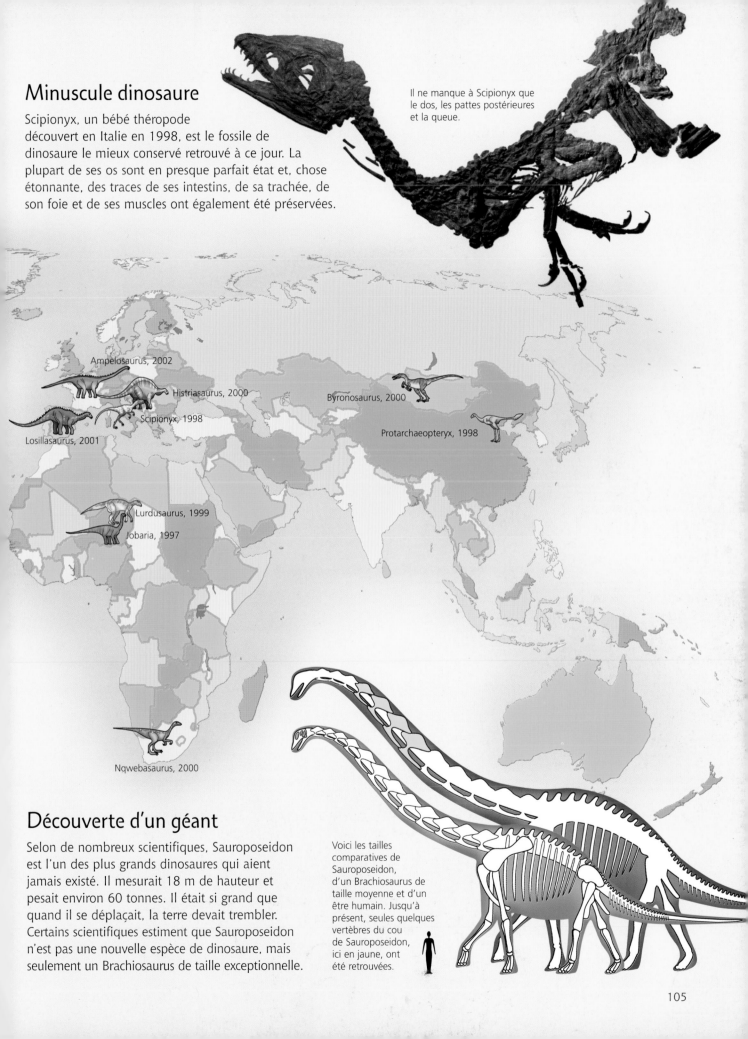

Minuscule dinosaure

Scipionyx, un bébé théropode découvert en Italie en 1998, est le fossile de dinosaure le mieux conservé retrouvé à ce jour. La plupart de ses os sont en presque parfait état et, chose étonnante, des traces de ses intestins, de sa trachée, de son foie et de ses muscles ont également été préservées.

Il ne manque à Scipionyx que le dos, les pattes postérieures et la queue.

Ampelosaurus, 2002

Histriasaurus, 2000

Byronosaurus, 2000

Losillasaurus, 2001

Scipionyx, 1998

Protarchaeopteryx, 1998

Lurdusaurus, 1999

Jobaria, 1997

Nqwebasaurus, 2000

Découverte d'un géant

Selon de nombreux scientifiques, Sauroposeidon est l'un des plus grands dinosaures qui aient jamais existé. Il mesurait 18 m de hauteur et pesait environ 60 tonnes. Il était si grand que quand il se déplaçait, la terre devait trembler. Certains scientifiques estiment que Sauroposeidon n'est pas une nouvelle espèce de dinosaure, mais seulement un Brachiosaurus de taille exceptionnelle.

Voici les tailles comparatives de Sauroposeidon, d'un Brachiosaurus de taille moyenne et d'un être humain. Jusqu'à présent, seules quelques vertèbres du cou de Sauroposeidon, ici en jaune, ont été retrouvées.

Les sauropodes étaient si grands qu'ils devaient avoir trop chaud au soleil. Ils devaient passer beaucoup de temps dans l'eau pour se rafraîchir.

Repères

Ce chapitre te permet de découvrir les
paléontologues célèbres, de t'émerveiller
devant d'étonnants fossiles de dinosaures et
d'apprendre des faits incroyables concernant ces
extraordinaires animaux. Tu peux également
tester tes connaissances avec le quiz proposé
et t'informer sur des centaines d'espèces
dans le guide détaillé des dinosaures.

Chasseurs de dinosaures

À travers l'histoire, des centaines de passionnés se sont consacrés à la prospection de fossiles de dinosaures. De nombreux chasseurs de fossiles sont des paléontologues professionnels, qui travaillent pour des musées, mais il existe également de nombreux amateurs enthousiastes.

Les premiers spécialistes

L'un des premiers chasseurs de dinosaures était un géologue anglais du nom de William Buckland. En 1815, cet homme a identifié les fossiles d'un reptile disparu, baptisé par la suite Megalosaurus. Un médecin, Gideon Mantell, compte également parmi les premiers découvreurs. En 1822, il a trouvé une dent fossile dans le Sussex, en Angleterre. Comme celle-ci ressemblait à une dent d'iguane, il a baptisé son propriétaire Iguanodon, ce qui signifie « dent d'iguane ».

Cette peinture représente le géologue William Buckland avec le sac bleu qu'il emportait toujours quand il partait chercher des fossiles.

Des rivaux acharnés

La chasse aux fossiles est devenue un passe-temps populaire à la fin des années 1800. La course aux nouveaux dinosaures a suscité une farouche rivalité entre deux paléontologues américains, Edward Drinker Cope et Othniel Charles Marsh. Ceux-ci ont commencé par collaborer, mais par la suite ils ont rivalisé avec acharnement à qui trouverait le plus de fossiles, au point de recruter des espions pour savoir ce qu'avait découvert leur rival et de se voler leurs fossiles respectifs.

Cope (à gauche) et Marsh (à droite) ont baptisé environ 130 dinosaures, y compris Diplodocus et Stegosaurus.

Un aventurier intrépide

Le naturaliste américain Roy Chapman Andrews aurait servi de modèle pour le personnage du film *Indiana Jones*. Il est célèbre pour les expéditions qu'il a menées dans le désert de Gobi, pendant les années 1920, et qui étaient les plus importantes et les plus coûteuses de l'époque. Des douzaines de scientifiques et d'assistants accompagnaient Andrews pour l'aider à explorer les sites prometteurs, et plus de 100 chameaux pour transporter les vivres.

Roy Chapman Andrews a découvert toutes sortes de fossiles durant ses expéditions dans le désert de Gobi, y compris les premiers nids de dinosaures. Il est photographié ici avec des œufs de dinosaures dans l'un des sites où il avait trouvé des nids.

Afrovenator, un théropode
du début du Crétacé. Il a été
découvert par Paul Sereno en
1993, dans le désert du Sahara.

Les chasseurs d'aujourd'hui

L'un des paléontologues actuels les plus célèbres
s'appelle Paul Sereno, un Américain qui dirige
des expéditions partout dans le monde. Il a
découvert et baptisé de nombreux dinosaures
africains, y compris Afrovenator et Suchomimus.
Un autre découvreur prolifique de notre époque
est un Argentin, José Bonaparte, qui a notamment
découvert Carnotaurus, un théropode cornu,
en Argentine.

Une découverte fantastique

Parfois, les chasseurs de fossiles ont la chance de découvrir des fossiles
vraiment spectaculaires. C'est ainsi que Sue Hendrickson, une paléontologue,
a repéré quelques os de Tyrannosaurus lorsqu'elle prospectait en 1990
dans le Dakota du Sud, aux États-Unis. Avec son équipe, elle a alors
découvert le squelette de Tyrannosaurus le plus grand, le plus complet et
le mieux conservé.

Expositions de dinosaures

Dans les musées du monde entier sont exposés des fossiles de dinosaures, souvent à côté de modèles réalistes permettant de se représenter l'animal tel qu'il devait être. Les musées font aussi des recherches sur les dinosaures et sont donc le lieu idéal pour obtenir des informations à jour à leur sujet.

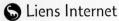

Liens Internet

La visite virtuelle d'un musée parc de dinosaures. Pour le lien vers ce site, connecte-toi à :
www.usborne-quicklinks.com/fr

Cet ouvrier du Royal Tyrrell Museum d'Alberta, au Canada, participe à l'installation de ce modèle grandeur nature de Tyrannosaurus devant le musée.

Des musées d'avant-garde

De nombreux musées exploitent les technologies modernes pour aider les visiteurs à imaginer la vie aux temps des dinosaures. À Shanghai, en Chine, on a recréé les sons et scènes du Mésozoïque au moyen d'images de synthèse. Ailleurs, des robots, qui ont l'apparence de vrais dinosaures, font les mêmes mouvements. Ces modèles sont faits d'une charpente en métal et de parties mobiles, recouvertes d'une couche de mousse extensible qui ressemble à de la peau.

Ce robot de dinosaure, à droite, se trouve au Musée d'histoire naturelle de Londres. Il remue la tête et les bras tout en regardant autour de lui et en émettant des grondements menaçants. Il a même mauvaise haleine.

Des dinosaures new-yorkais

Le Musée américain d'histoire naturelle de New York renferme la plus grande collection de fossiles de dinosaures du monde. Ce musée est réputé pour la qualité de ses travaux de recherche sur les dinosaures et ses nombreux paléontologues mènent des fouilles dans le monde entier. Le plus célèbre paléontologue à y avoir travaillé est peut-être Barnum Brown, qui a découvert de nombreuses espèces différentes, dont le premier Tyrannosaurus.

Ce squelette de Barosaurus se tient dans l'entrée du Musée américain d'histoire naturelle. Il a été assemblé pour montrer l'animal dressé en position de défense.

Une vaste collection

Des fossiles de dinosaures du monde entier sont exposés au Musée d'histoire naturelle de Londres. Cet immense musée possède des reconstitutions impressionnantes de nombreux dinosaures, y compris Triceratops, Iguanodon et Hypsilophodon, ainsi qu'un Diplodocus de 26 m de long dans l'entrée. Les paléontologues du musée étudient de nouvelles théories sur les dinosaures et collectionnent toutes sortes de spécimens fossiles. En 1986, ils ont identifié et baptisé le spinosaure Baryonyx.

Ce squelette de Triceratops est l'une des principales attractions du Musée d'histoire naturelle de Londres.

Travaux en cours

Le Musée des dinosaures de Zigong, dans le sud-est de la Chine, est construit sur un site où des millions d'ossements du Jurassique ont été découverts et où l'on continue à en trouver de nouveaux. Une vaste étendue de roche exposée à nu au milieu du musée permet aux visiteurs d'observer les paléontologues en plein travail.

Chronologie

Tout au long des 175 millions d'années durant lesquelles
ils ont peuplé la Terre, les dinosaures ont constamment
évolué, de nouvelles espèces apparaissant tandis que d'autres
disparaissaient. Cette chronologie illustre la période à laquelle
vivaient différentes espèces de dinosaures.

Les pachycéphalosaures et les
troodontidés sont apparus au
Crétacé. Caudipteryx est le plus
ancien oviraptor connu.

Les plus anciens dinosaures
que nous connaissons sont
les prosauropodes, pas
plus gros que des
kangourous.

Les lettres Ma veulent dire
« millions d'années ».

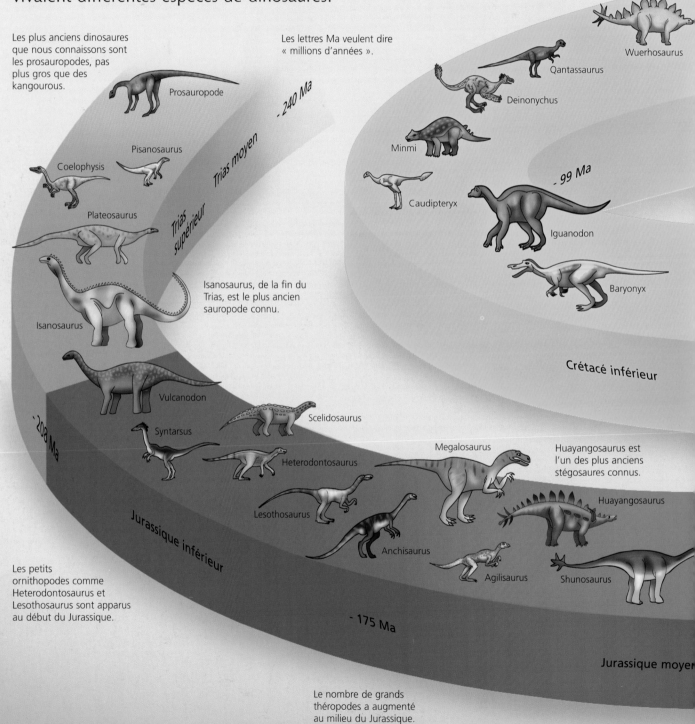

Prosauropode

- 240 Ma

Trias moyen

Trias supérieur

Pisanosaurus

Coelophysis

Plateosaurus

Isanosaurus, de la fin du
Trias, est le plus ancien
sauropode connu.

Isanosaurus

Vulcanodon

- 208 Ma

Syntarsus

Scelidosaurus

Heterodontosaurus

Jurassique inférieur

Les petits
ornithopodes comme
Heterodontosaurus et
Lesothosaurus sont apparus
au début du Jurassique.

Lesothosaurus

Anchisaurus

Agilisaurus

- 175 Ma

Le nombre de grands
théropodes a augmenté
au milieu du Jurassique.

Qantassaurus

Deinonychus

Minmi

- 99 Ma

Caudipteryx

Iguanodon

Baryonyx

Wuerhosaurus

Crétacé inférieur

Megalosaurus

Huayangosaurus est
l'un des plus anciens
stégosaures connus.

Huayangosaurus

Shunosaurus

Jurassique moyen

La fin du Crétacé est la période où vivaient les espèces les plus diverses de dinosaures. Les stégosaures avaient disparu, mais de nombreuses autres espèces étaient apparues.

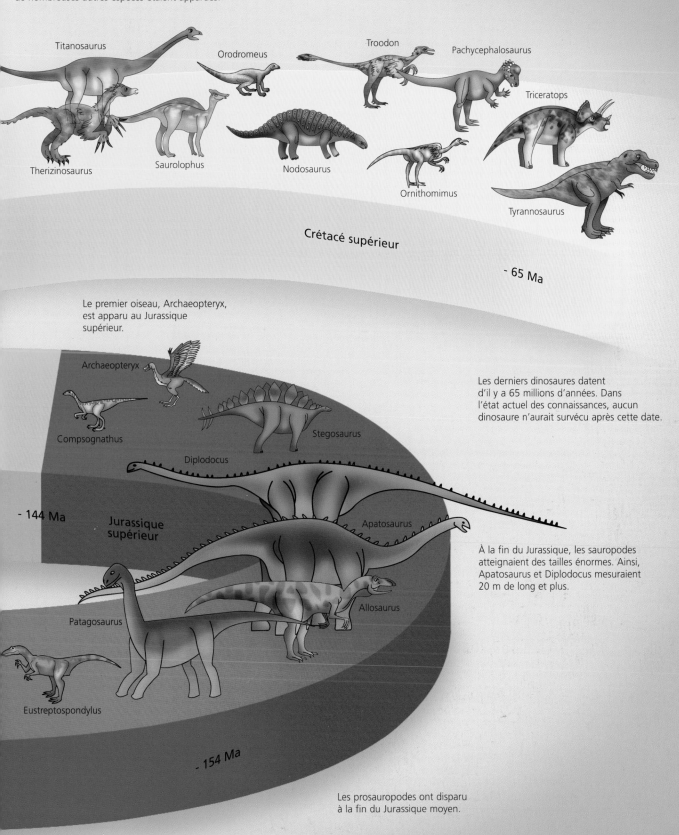

Titanosaurus

Orodromeus

Troodon

Pachycephalosaurus

Triceratops

Therizinosaurus

Saurolophus

Nodosaurus

Ornithomimus

Tyrannosaurus

Crétacé supérieur

- 65 Ma

Le premier oiseau, Archaeopteryx, est apparu au Jurassique supérieur.

Archaeopteryx

Compsognathus

Stegosaurus

Diplodocus

Les derniers dinosaures datent d'il y a 65 millions d'années. Dans l'état actuel des connaissances, aucun dinosaure n'aurait survécu après cette date.

- 144 Ma

Jurassique supérieur

Apatosaurus

À la fin du Jurassique, les sauropodes atteignaient des tailles énormes. Ainsi, Apatosaurus et Diplodocus mesuraient 20 m de long et plus.

Patagosaurus

Allosaurus

Eustreptospondylus

- 154 Ma

Les prosauropodes ont disparu à la fin du Jurassique moyen.

Des faits fascinants

Les dinosaures étaient des animaux surprenants. Ils comptent parmi eux les animaux terrestres les plus puissants, les plus lourds et les plus féroces qui aient jamais vécu. Voici des informations étonnantes les concernant.

Le crâne du cératopsien Pentaceratops était plus gros que celui de tous les animaux terrestres. Il mesurait plus de 3 m de long, c'est-à-dire la moitié de la longueur de son corps.

Les blessures découvertes sur les crânes des grands théropodes indiquent qu'ils se mordaient la tête en se battant.

La morsure du tyrannosaure était plus puissante que celle de tous les dinosaures : trois fois plus que celle d'un lion et près de vingt fois celle d'un être humain.

La vitesse à laquelle le sauropode Diplodocus agitait sa queue, semblable à un fouet, était supérieure à celle du son. Il produisait sans doute ainsi un bruit incroyablement fort et effrayant pour les autres dinosaures.

Selon les calculs des scientifiques, un animal au poids supérieur à 200 tonnes serait trop lourd pour se déplacer. Les plus gros dinosaures pesaient sans doute un peu moins.

Le stégosaure Lexovisaurus arborait des pointes plus longues que tout autre dinosaure. Sur ses épaules, elles atteignaient parfois 1,2 m de long.

Jusqu'à la découverte, en 1998, du sauropode Agustinia, les scientifiques pensaient que seuls les stégosaures possédaient des plaques osseuses dressées sur leur dos. Certaines des plaques d'Agustinia étaient dotées de pointes.

On pense que le plus grand animal terrestre de tous les temps était le sauropode Amphicoelias fragillimus, long d'environ 60 m. Toutefois, on ne possède de cet imposant dinosaure qu'une vertèbre incomplète.

Tyrannosaurus était l'un des plus grands dinosaures carnivores.

Malgré leurs tailles énormes, les dinosaures carnivores n'étaient pas aussi grands que les végétariens. Les théropodes Carcharodontosaurus et Tyrannosaurus, par exemple, dépassaient 12 m de long, tandis que Spinosaurus atteignait peut-être les 15 m.

Squelette du spinosaure Suchomimus. On voit clairement ses énormes mâchoires et ses dents pointues. Ce dinosaure a été découvert en 1998 au Niger, en Afrique.

Suchomimus possédait des mâchoires d'une longueur incroyable. Son crâne dépassait 1,2 m de long et son museau étroit était extrêmement long. Ses mâchoires étaient armées de plus de cent dents meurtrières en forme de crochet, qu'il utilisait pour pêcher les poissons.

Les hadrosaures Anatotitan et Edmontosaurus possédaient jusqu'à 1 600 dents, plus que tout autre dinosaure. Étroitement serrées les unes contre les autres, ces dents formaient une surface râpeuse qui permettait à l'animal de broyer les végétaux les plus coriaces.

Certains dinosaures végétariens avalaient des pierres pour mieux digérer leurs aliments. Ces pierres, appelées gastrolithes, broyaient les aliments du dinosaure en s'entrechoquant à l'intérieur de son estomac. On découvre en général les gastrolithes au milieu de squelettes de dinosaures, ou à côté.

Le sauropode Seismosaurus a été découvert avec une grosse pierre à l'emplacement de sa gorge. Les scientifiques pensent qu'il s'est étouffé en avalant ce gastrolithe.

Avec environ 200 dents, l'ornithomimosaure Pelecanimimus était le théropode qui en possédait le plus. Cela est d'autant plus surprenant que la plupart des ornithomimosaures étaient édentés.

Tous les dinosaures avaient des pattes arrière puissantes et un grand nombre d'entre eux, une queue longue et flexible : ils étaient sans doute de très bons nageurs. Peut-être allaient-ils d'une île à une autre, ou même d'un continent à un autre pas trop éloigné.

Le plus petit dinosaure découvert jusqu'à présent est le dromaeosaure à plumes Microraptor. Mesurant 30 cm de long, il était à peu près de la taille d'une poule.

Le corps des ankylosaures était plus large que celui des autres dinosaures. C'est en partie parce que chez la plupart d'entre eux, comme Euoplocephalus, le dos était presque plat.

Gastrolithes. Les scientifiques reconnaissent les gastrolithes à leur surface lisse, usée par le frottement dans l'estomac de l'animal.

🐾 Liens Internet

Des jeux et des activités sur les dinosaures. Pour le lien vers ce site, connecte-toi à : www.usborne-quicklinks.com/fr

À toi de répondre

Qu'as-tu appris sur les dinosaures ? Teste tes connaissances avec les questions de ce quiz. Les réponses se trouvent à la page 137.

Épreuve des images

Réponds aux questions concernant ces images de dinosaures. Chacune d'entre elles est accompagnée d'indices qui t'aideront.

1. Le dinosaure qui a laissé ces empreintes se déplaçait sur trois doigts et avait des griffes fines. De quel type de dinosaure s'agit-il ?

a) Un théropode
b) Un sauropode
c) Un ornithopode

2. Le dinosaure ci-dessous avait de grandes dents acérées et puissantes. De quel type de dinosaure s'agit-il ?

a) Un hadrosaure
b) Un ornithomimosaure
c) Un théropode

3. Le squelette de dinosaure ci-contre possédait une griffe extra-longue sur le deuxième orteil. De quel type de dinosaure s'agit-il ?

a) Un tyrannosaure
b) Un dromaeosaure
c) Un ankylosaure

4. La scène de droite représente des neovenators, des hypsilophodontes et des fleurs. Dans quelle période du Mésozoïque se situe-t-elle ?

a) Le Jurassique
b) Le Crétacé
c) Le Trias

Épreuve de survie

Quelles auraient été tes chances de survie, si tu avais été un dinosaure ? Fais ce test pour le savoir.

1. Tu es un hadrosaure qui vit en Amérique du Nord à la fin du Crétacé. Te voilà arrivé à un croisement. À gauche, se trouve un troupeau de cératopsien ; à droite, tu aperçois un Albertosaurus isolé. Où vas-tu ?

a) À gauche.   b) À droite.

2. Tu es un Gallimimus qui vit dans le désert de Gobi, il y a 70 millions d'années. Un Tarbosaurus, au loin, s'approche lentement dans ta direction. Que faut-il faire ?

a) Fuir.   b) Te cacher.

3. Tu es un Leaellynasaura qui vit au Crétacé, en Australie méridionale. L'hiver arrive et la température commence à baisser. Que dois-tu faire ? Entreprendre un long voyage pour trouver un endroit plus chaud où hiverner, ou bien rester sur place ?

a) Faire un long voyage.   b) Rester au même endroit.

4. Tu es le sauropode Diplodocus, l'un des plus grands et des plus longs dinosaures. Tu t'es séparé de ton troupeau pour chercher à manger et tu vois un Allosaurus s'approcher. Que dois-tu faire ?

a) Tenter de rejoindre ton troupeau pour te mettre en sécurité.
b) Rester au même endroit. Ta taille te protégera.

Quiz rapide

1. Les plus grands dinosaures étaient-ils carnivores ou herbivores ?

2. Sur quel continent a-t-il fallu attendre les années 1980 pour découvrir les premiers fossiles de dinosaures ?

3. Où a-t-on découvert les seuls fossiles de Triceratops ?

4. Cite le plus petit dinosaure découvert jusqu'à présent.

5. Comment appelle-t-on les scientifiques qui étudient les fossiles de dinosaures ?

6. Dans quel pays a-t-on découvert le plus grand nombre de dinosaures à plumes ?

7. Comment s'appellent les dinosaures dont la tête arbore une crête creuse, par laquelle ils auraient peut-être soufflé pour émettre des bruits forts ?

8. Quand ont disparu les derniers dinosaures ?

Guide des dinosaures

Ce guide contient des informations sur la plupart des différentes espèces de dinosaures. Il te permettra de connaître la signification du nom de chaque dinosaure et de savoir où il se situe dans la classification des dinosaures. Chaque groupe cité englobe le suivant : ainsi, le groupe des saurischiens englobe les théropodes, qui réunit lui-même celui des allosaures. Le dernier groupe, moins nombreux, contient les animaux qui partagent le plus de caractères semblables.

ABELISAURUS (« lézard d'Abel »)
Groupe : saurischiens, théropodes, néocératosaures
Période : Crétacé supérieur
Taille et poids : 9 m de long, 1,5 tonne
Lieu : Argentine
Description : prédateur primitif bipède à museau trapu. On en a découvert seulement un crâne.

ABRICTOSAURUS (« lézard réveillé »)
Groupe : ornithischiens, hétérodontosauridés
Période : Jurassique inférieur
Taille et poids : 1 m de long, 5 kg
Lieu : Afrique du Sud
Description : petit omnivore bipède et quadrupède, aux petites mains et à crâne court.

ABROSAURUS (« lézard abrupt »)
Groupe : saurischiens, sauropodomorphes, sauropodes
Période : Jurassique moyen
Taille et poids : 18 m de long, 8,5 tonnes
Lieu : Chine
Description : grand herbivore à long cou, qui se déplaçait à quatre pattes. Il avait le crâne carré et d'énormes narines.

ACHELOUSAURUS (« lézard d'Achéloos »)
Groupe : ornithischiens, marginocéphales, cératopsiens
Période : Crétacé supérieur
Taille et poids : 6 m de long, 1,5 tonne
Lieu : États-Unis
Description : herbivore quadrupède, à la collerette dotée de deux pointes. Il avait des bosses sur le nez et au-dessus des yeux.

ACHILLOBATOR (« héros au tendon »)
Groupe : saurischiens, théropodes, cœlurosaures
Période : Crétacé supérieur
Taille et poids : 7 m de long, 450 kg
Lieu : Mongolie
Description : grand prédateur bipède possédant une griffe plus haute que les autres au deuxième orteil de chaque pied. Il s'apparentait à Velociraptor.

ACROCANTHOSAURUS (« lézard à pointes élevées »)
Groupe : saurischiens, théropodes, allosaures
Période : Crétacé inférieur
Taille et poids : 8 m de long, 3 tonnes
Lieu : États-Unis
Description : énorme prédateur portant une crête musclée le long du cou et du dos.

ADASAURUS (« lézard d'Ada »)
Groupe : saurischiens, théropodes, cœlurosaures
Période : Crétacé supérieur
Taille et poids : 1 m de long, 15 kg
Lieu : Mongolie
Description : petit prédateur semblable à un oiseau, doté d'une petite griffe plus haute que les autres sur le deuxième orteil.

AEGYPTOSAURUS (« lézard égyptien »)
Groupe : saurischiens, sauropodomorphes, sauropodes
Période : Crétacé supérieur
Taille et poids : 15 m de long, 7 tonnes
Lieu : Égypte
Description : herbivore à long cou, qui possédait sans doute une peau cuirassée de plaques. Il se déplaçait à quatre pattes. Les seuls vestiges dont on disposait ont été détruits durant la Deuxième Guerre mondiale.

AEOLOSAURUS (« lézard d'Éole »)
Groupe : saurischiens, sauropodomorphes, sauropodes
Période : Crétacé supérieur
Taille et poids : 15 m de long, 7 tonnes
Lieu : Argentine
Description : herbivore quadrupède à long cou, qui possédait sans doute des plaques sur le dos.

AFROVENATOR (« chasseur africain »)
Groupe : saurischiens, théropodes, spinosaures
Période : Crétacé inférieur
Taille et poids : 8 m de long, 820 kg
Lieu : Afrique du Nord
Description : prédateur bipède à crâne allongé et à dents crénelées. Ses pattes antérieures étaient courtes et dotées de trois doigts.

AGILISAURUS (« lézard agile »)
Groupe : ornithischiens, ornithopodes, hypsilophodontidés
Période : Jurassique moyen
Taille et poids : 1,5 m de long, 6 kg
Lieu : Chine
Description : petit herbivore bipède à bec étroit, aux petites pattes antérieures dotées de cinq doigts.

AGNOSPHITYS (« ancêtre inconnu »)
Groupe : saurischiens, et peut-être herrérasauridés
Période : Trias supérieur
Taille et poids : 1,5 m de long, 6 kg
Lieu : Angleterre
Description : prédateur primitif bipède, sans doute semblable à Herrerasaurus, mais plus petit.

AGUSTINIA (« d'après Agustin »)
Groupe : saurischiens, sauropodomorphes, sauropodes
Période : Crétacé inférieur
Taille et poids : 20 m de long, 22 tonnes
Lieu : Argentine
Description : herbivore quadrupède à long cou, portant des pointes et des plaques sur le dos.

ALAMOSAURUS (« lézard d'Ojo Alamo »)
Groupe : saurischiens, sauropodomorphes, sauropodes
Période : Crétacé supérieur
Taille et poids : 20 m de long, 12 tonnes
Lieu : États-Unis
Description : herbivore quadrupède à long cou, à queue longue et flexible et aux dents en forme de crayon.

ALBERTOSAURUS (« lézard d'Alberta »)
Groupe : saurischiens, théropodes, cœlurosaures
Période : Crétacé supérieur
Taille et poids : 10 m de long, 2,4 tonnes
Lieu : États-Unis et Canada
Description : prédateur bipède à crâne large, dont les petites pattes antérieures étaient dotées de deux doigts.

ALECTROSAURUS (« lézard célibataire »)
Groupe : saurischiens, théropodes, cœlurosaures
Période : Crétacé supérieur
Taille et poids : 5 m de long, 500 kg
Lieu : Chine et Mongolie
Description : prédateur bipède à gros crâne, aux pattes antérieures courtes et aux pattes postérieures allongées.

ALETOPELTA (« bouclier errant »)
Groupe : ornithischiens, thyréophores, ankylosaures
Période : Crétacé supérieur
Taille et poids : 6 m de long, 2 tonnes
Lieu : États-Unis
Description : herbivore quadrupède à plaques, à pattes courtes et à corps large. Il possédait une grande pointe au milieu du dos.

ALIORAMUS (« autre branche »)
Groupe : saurischiens, théropodes, cœlurosaures
Période : Crétacé supérieur
Taille et poids : 6 m de long, 700 kg
Lieu : Mongolie
Description : tyrannosaure à crâne allongé possédant une rangée de bosses sur le dessus du museau.

ALIWALIA (« d'après Aliwal »)
Groupe : saurischiens, et peut-être herrérasauridés
Période : Trias supérieur
Taille et poids : 8 m de long, 1,2 tonne
Lieu : Afrique australe
Description : grand prédateur primitif quadrupède, peut-être semblable à Herrerasaurus.

ALLOSAURUS (« lézard étrange »)
Groupe : saurischiens, théropodes, allosaures
Période : Jurassique supérieur
Taille et poids : 8 m de long, 1 tonne
Lieu : États-Unis, Afrique orientale et Portugal
Description : prédateur bipède aux mains dotées de trois doigts et aux yeux surmontés de cornes.

ALOCODON (« dent à sillons »)
Groupe : ornithischiens et peut-être thyréophores
Période : Jurassique supérieur
Taille et poids : 1 m de long, 9 kg
Lieu : Portugal
Description : petit dinosaure dont on n'a retrouvé que des dents. C'était peut-être un herbivore cuirassé quadrupède.

ALTIRHINUS (« nez élevé »)
Groupe : ornithischiens, ornithopodes, iguanodons
Période : Crétacé inférieur
Taille et poids : 8 m de long, 3,1 tonnes
Lieu : Mongolie
Description : herbivore bipède et quadrupède, possédant un énorme nez, un bec et des pouces en forme de pointe.

ALVAREZSAURUS (« lézard d'Alvarez »)
Groupe : saurischiens, théropodes, cœlurosaures
Période : Crétacé supérieur
Taille et poids : 2 m de long, 6 kg
Lieu : Argentine
Description : prédateur bipède à plumes, avec un crâne semblable à celui d'un oiseau.

ALWALKERIA (« d'après Alick Walker »)
Groupe : saurischiens, et peut-être herrérasauridés
Période : Trias supérieur
Taille et poids : 1 m de long, 5 kg
Lieu : Inde
Description : petit prédateur bipède aux dents acérées et recourbées, qui était peut-être semblable à Herrerasaurus.

ALXASAURUS (« lézard d'Alxa »)
Groupe : saurischiens, théropodes, cœlurosaures
Période : Crétacé supérieur
Taille et poids : 4 m de long, 120 kg
Lieu : Chine
Description : dinosaure bipède herbivore ou omnivore, à la queue courte et au bassin large, qui possédait trois doigts aux mains.

AMARGASAURUS (« lézard d'Amarga »)
Groupe : saurischiens, sauropodomorphes, sauropodes
Période : Crétacé inférieur
Taille et poids : 10 m de long, 6,8 tonnes
Lieu : Argentine
Description : herbivore quadrupède, à long cou armé de pointes sur le dessus.

AMMOSAURUS (« lézard du grès »)
Groupe : saurischiens, sauropodomorphes, prosauropodes
Période : Jurassique inférieur
Taille et poids : 4 m de long, 120 kg
Lieu : États-Unis
Description : dinosaure bipède et quadrupède à long cou et aux mains dotées de cinq doigts et de grosses griffes sur le pouce. C'était soit un herbivore soit un omnivore.

AMPELOSAURUS (« lézard du vignoble »)
Groupe : saurischiens, sauropodomorphes, sauropodes
Période : Crétacé supérieur
Taille et poids : 15 m de long, 7 tonnes
Lieu : France
Description : herbivore quadrupède à long cou, au dos et aux flancs cuirassés.

AMTOSAURUS (« lézard d'Amtgay »)
Groupe : ornithischiens, thyréophores, ankylosaures
Période : Crétacé supérieur
Taille et poids : 5 m de long, 700 kg
Lieu : Mongolie
Description : herbivore cuirassé, quadrupède, dont on a découvert seulement un crâne partiel.

AMUROSAURUS (« lézard de l'Amour »)
Groupe : ornithischiens, ornithopodes, iguanodons
Période : Crétacé supérieur
Taille et poids : 8 m de long, 3 tonnes
Lieu : Russie
Description : herbivore bipède et quadrupède, doté d'une crête osseuse sur la tête, qui ressemblait peut-être à Corythosaurus.

AMYGDALODON (« dent en forme d'amande »)
Groupe : saurischiens, sauropodomorphes, sauropodes
Période : Jurassique moyen
Taille et poids : 18 m de long, 10 tonnes
Lieu : Argentine
Description : herbivore quadrupède à long cou. Il avait le corps et les pattes robustes et ressemblait peut-être à Cetiosaurus.

ANABISETIA (« d'après Ana Biset »)
Groupe : ornithischiens, ornithopodes, iguanodons
Période : Crétacé supérieur
Taille et poids : 1,5 m de long, 12 kg
Lieu : Argentine
Description : petit herbivore bipède doté d'un bec, de bras grêles et de petites mains.

ANASAZISAURUS (« lézard d'Anasazi »)
Groupe : ornithischiens, ornithopodes, iguanodons
Période : Crétacé supérieur
Taille et poids : 6,5 m, 1,9 tonne
Lieu : États-Unis
Description : herbivore bipède et quadrupède, au bec semblable à celui d'un canard, avec une bosse sur le nez.

ANATOTITAN (« canard géant »)
Groupe : ornithischiens, ornithopodes, iguanodons
Période : Crétacé supérieur
Taille et poids : 12 m de long, 7,6 tonnes
Lieu : États-Unis
Description : herbivore bipède et quadrupède au crâne allongé et aux dents broyeuses, doté d'un bec semblable à celui d'un canard.

ANCHICERATOPS (« semblable à face cornue »)
Groupe : ornithischiens, marginocéphales, cératopsiens
Période : Crétacé supérieur
Taille et poids : 6 m de long, 1,4 tonne
Lieu : Canada
Description : herbivore quadrupède à trois cornes et à longue collerette. Il avait un bec proéminent et une queue plus courte que celle des autres.

ANCHISAURUS (« semblable à un lézard »)
Groupe : saurischiens, sauropodomorphes, prosauropodes
Période : Jurassique inférieur
Taille et poids : 3 m de long, 85 kg
Lieu : États-Unis et Canada
Description : omnivore à long cou, doté d'un petit crâne pointu et d'un corps allongé.

ANDESAURUS (« lézard des Andes »)
Groupe : saurischiens, sauropodomorphes, sauropodes
Période : Crétacé inférieur
Taille et poids : 18 m de long, 9 tonnes
Lieu : Argentine
Description : herbivore quadrupède à long cou, à queue flexible et à corps large.

ANIMANTARX (« forteresse vivante »)
Groupe : ornithischiens, thyréophores, ankylosaures
Période : Crétacé inférieur
Taille et poids : 10 m de long, 2,7 tonnes
Lieu : États-Unis
Description : herbivore cuirassé quadrupède, à crâne allongé et étroit et aux cornes courtes.

ANKYLOSAURUS (« lézard fusionné »)
Groupe : ornithischiens, thyréophores, ankylosaures
Période : Crétacé supérieur
Taille et poids : 7 m de long, 1,7 tonne
Lieu : États-Unis
Description : herbivore cuirassé quadrupède, à pattes courtes et à queue en massue.

ANSERIMIMUS (« qui imite une oie »)
Groupe : saurischiens, théropodes, cœlurosaures
Période : Crétacé supérieur
Taille et poids : 3 m de long, 100 kg
Lieu : Mongolie
Description : omnivore bipède véloce, aux longs bras grêles et à bec édenté.

ANTARCTOSAURUS (« lézard du Sud »)
Groupe : saurischiens, sauropodomorphes, sauropodes
Période : Crétacé supérieur
Taille et poids : 30 m de long, 80 tonnes
Lieu : Argentine, Brésil et Uruguay
Description : énorme quadrupède herbivore, à long cou, doté d'une gueule large et de pattes fines.

APATOSAURUS (« lézard trompeur »)
Groupe : saurischiens, sauropodomorphes, sauropodes
Période : Jurassique supérieur
Taille et poids : 23 m de long, 22 tonnes
Lieu : États-Unis
Description : énorme herbivore quadrupède, à musculature puissante, à long cou et à queue effilée comme un fouet.

ARAGOSAURUS (« lézard d'Aragon »)
Groupe : saurischiens, sauropodomorphes, sauropodes
Période : Crétacé inférieur
Taille et poids : 15 m de long, 7 tonnes
Lieu : Espagne
Description : herbivore quadrupède, au corps large et aux pattes trapues, doté d'un long cou.

ARALOSAURUS (« lézard de la mer d'Aral »)
Groupe : ornithischiens, ornithopodes, iguanodons
Période : Crétacé supérieur
Taille et poids : 9 m de long, 4,5 tonnes
Lieu : Kazakhstan
Description : herbivore bipède et quadrupède, au bec semblable à celui d'un canard et à dents broyeuses.

ARCHAEOCERATOPS (« ancien à face cornue »)
Groupe : ornithischiens, marginocéphales, cératopsiens
Période : Crétacé inférieur
Taille et poids : 1 m de long, 7 kg
Lieu : Chine
Description : petit herbivore bipède, à bec étroit et à courte collerette.

ARCHAEORNITHOIDES (« ancien semblable à un oiseau »)
Groupe : saurischiens, théropodes, cœlurosaures
Période : Crétacé supérieur
Taille et poids : 90 cm de long, 1,5 kg
Lieu : Mongolie
Description : minuscule prédateur bipède aux dents coniques. Il n'en subsiste qu'un crâne.

ARCHAEORNITHOMIMUS (« ancien qui imite un oiseau »)
Groupe : saurischiens, théropodes, cœlurosaures
Période : Crétacé supérieur
Taille et poids : 3 m de long, 130 kg
Lieu : Chine
Description : omnivore bipède à longues pattes.

ARGENTINOSAURUS (« lézard argentin »)
Groupe : saurischiens, sauropodomorphes, sauropodes
Période : Crétacé supérieur
Taille et poids : 30 m de long, 90 tonnes
Lieu : Argentine
Description : énorme herbivore quadrupède à long cou et aux pattes fines.

ARGYROSAURUS (« lézard argenté »)
Groupe : saurischiens, sauropodomorphes, sauropodes
Période : Crétacé supérieur
Taille et poids : 20 m de long, 13 tonnes
Lieu : Argentine
Description : herbivore quadrupède aux pattes lourdes et trapues.

ARRHINOCERATOPS (« à face sans cornes »)
Groupe : ornithischiens, marginocéphales, cératopsiens
Période : Crétacé supérieur
Taille et poids : 6 m de long, 1,5 tonne
Lieu : Canada
Description : herbivore quadrupède, doté d'un bec, de trois cornes, d'une collerette et d'un museau court.

ARSTANOSAURUS (« lézard d'Arstan »)
Groupe : ornithischiens, ornithopodes, iguanodons
Période : Crétacé supérieur
Taille et poids : 5 m de long, 1 tonne
Lieu : Kazakhstan
Description : herbivore bipède et quadrupède, aux dents broyeuses et au bec semblable à celui d'un canard.

ASIACERATOPS (« face cornue asiatique »)
Groupe : ornithischiens, marginocéphales, cératopsiens
Période : Crétacé supérieur
Taille et poids : 2 m de long, 50 kg
Lieu : Ouzbékistan
Description : herbivore quadrupède possédant un bec, une collerette et un museau étroit.

ASIATOSAURUS (« lézard asiatique »)
Groupe : saurischiens, sauropodomorphes, sauropodes
Période : Crétacé inférieur
Taille et poids : 20 m de long, 13 tonnes
Lieu : Mongolie et Chine
Description : herbivore quadrupède à long cou. Il avait des dents spatulées.

ATLASAURUS (« lézard de l'Atlas »)
Groupe : saurischiens, sauropodomorphes, sauropodes
Période : Jurassique moyen
Taille et poids : 17 m de long, 15 tonnes
Lieu : Afrique du Nord
Description : herbivore quadrupède à long cou, possédant des pattes longues et fines et des dents spatulées.

ATLASCOPCOSAURUS (« lézard de l'Atlas Copco »)
Groupe : ornithischiens, ornithopodes, hypsilophodontidés
Période : Crétacé inférieur
Taille et poids : 2 m de long, 15 kg
Lieu : Australie
Description : herbivore bipède aux pattes postérieures longues et fines et à la queue rigide.

AUCASAURUS (« lézard d'Auca »)
Groupe : saurischiens, théropodes, néocératosaures
Période : Crétacé supérieur
Taille et poids : 5,5 m de long, 370 kg
Lieu : Argentine
Description : prédateur bipède à bras courts. Il possédait un renflement osseux au-dessus des yeux.

AUSTROSAURUS (« lézard austral »)
Groupe : saurischiens, sauropodomorphes, sauropodes
Période : Crétacé inférieur
Taille et poids : 15 m de long, 7 tonnes
Lieu : Australie
Description : herbivore quadrupède à long cou. Il possédait de longues pattes fines et une queue courte.

AVACERATOPS (« face cornue d'Ava »)
Groupe : ornithischiens, marginocéphales, cératopsiens
Période : Crétacé supérieur
Taille et poids : 3 m de long, 135 kg
Lieu : États-Unis
Description : herbivore quadrupède, doté d'un bec, d'une collerette courte et de cornes au-dessus des yeux.

AVIMIMUS (« qui imite un oiseau »)
Groupe : saurischiens, théropodes, cœlurosaures
Période : Crétacé supérieur
Taille et poids : 1,6 m de long, 14 kg
Lieu : Mongolie
Description : dinosaure bipède à longues pattes, qui possédait un bec et pouvait être herbivore ou omnivore.

AZENDOHSAURUS (« lézard d'Azendoh »)
Groupe : saurischiens, sauropodomorphes,
Période : Trias supérieur
Taille et poids : 1,5 m de long, 9 kg
Lieu : Maroc
Description : petit omnivore aux dents en forme de feuille. Il ressemblait peut-être à Saturnalia.

BACTROSAURUS (« lézard à massue »)
Groupe : ornithischiens, ornithopodes, iguanodons
Période : Crétacé supérieur
Taille et poids : 6 m de long, 1,6 tonne
Lieu : Chine
Description : herbivore bipède et quadrupède, portant une arête sur le dos.

BAGACERATOPS (« petite face cornue »)
Groupe : ornithischiens, marginocéphales, cératopsiens
Période : Crétacé supérieur
Taille et poids : 1 m de long, 9 kg
Lieu : Mongolie
Description : herbivore quadrupède, doté d'un bec, d'une corne courte sur le nez et d'une collerette.

BAGARAATAN (« petit prédateur »)
Groupe : saurischiens, théropodes, cœlurosaures
Période : Crétacé supérieur
Taille et poids : 3 m de long, 55 kg
Lieu : Mongolie
Description : prédateur bipède, doté d'une queue rigide et de mâchoires puissantes.

BAHARIASAURUS (« lézard de Bahariya »)
Groupe : saurischiens, théropodes, allosaures
Période : Crétacé supérieur
Taille et poids : 9 m de long, 4 tonnes
Lieu : Afrique du Nord
Description : grand prédateur bipède, doté d'un gros crâne, qui possédait sans doute trois doigts aux mains.

BAMBIRAPTOR (« Bambi voleur »)
Groupe : saurischiens, théropodes, cœlurosaures
Période : Crétacé supérieur
Taille et poids : 1 m de long, 4 kg
Lieu : États-Unis
Description : petit prédateur bipède semblable à un oiseau. Il avait de longs bras, un orteil plus haut que les autres à chaque pied et une queue rigide.

BARAPASAURUS (« lézard à grandes pattes »)
Groupe : saurischiens, sauropodomorphes, sauropodes
Période : Jurassique inférieur
Taille et poids : 20 m de long, 15 tonnes
Lieu : Inde
Description : herbivore quadrupède, à long cou et aux dents spatulées.

BAROSAURUS (« lézard lourd »)
Groupe : saurischiens, sauropodomorphes, sauropodes
Période : Jurassique supérieur
Taille et poids : 28 m de long, 12 tonnes
Lieu : États-Unis
Description : herbivore quadrupède géant, à long cou, à longue queue et à dents en forme de crayon.

BARSBOLDIA (« d'après Barsbold »)
Groupe : ornithischiens, ornithopodes, iguanodons
Période : Crétacé supérieur
Taille et poids : 8 m de long, 3 tonnes
Lieu : Mongolie
Description : herbivore bipède et quadrupède. On ne possède que sa colonne vertébrale.

BARYONYX (« griffe pesante »)
Groupe : saurischiens, théropodes, spinosaures
Période : Crétacé inférieur
Taille et poids : 9 m de long, 1,7 tonne
Lieu : Angleterre, Espagne et Afrique du Nord
Description : prédateur bipède, dont le crâne ressemblait à celui d'un crocodile.

BECKLESPINAX (« spinax de Beckles »)
Groupe : saurischiens, théropodes, allosaures
Période : Crétacé inférieur
Taille et poids : 5 m de long, 280 kg
Lieu : Angleterre
Description : grand prédateur bipède, doté d'une grande voile sur les épaules.

BEIPIAOSAURUS (« lézard de Beipiao »)
Groupe : saurischiens, théropodes, cœlurosaures
Période : Crétacé inférieur
Taille et poids : 2,5 m de long, 35 kg
Lieu : Chine
Description : dinosaure bipède à plumes, doté de longs bras, d'un ventre large et d'une queue courte. Il pouvait être herbivore ou omnivore.

BELLUSAURUS (« beau lézard »)
Groupe : saurischiens, sauropodomorphes, sauropodes
Période : Jurassique moyen
Taille et poids : 5 m de long, 900 kg
Lieu : Chine
Description : herbivore bipède, aux dents spatulées et à long cou.

BIENOSAURUS (« lézard de Bien »)
Groupe : ornithischiens, thyréophores
Période : Jurassique inférieur
Taille et poids : 1 m de long, 12 kg
Lieu : Chine
Description : herbivore quadrupède cuirassé, qui ressemblait peut-être à Scelidosaurus.

BIHARIOSAURUS (« lézard de Bihor »)
Groupe : ornithischiens, ornithopodes, iguanodons
Période : Jurassique supérieur
Taille et poids : 3,5 m de long, 370 kg
Lieu : Europe orientale
Description : herbivore bipède et quadrupède aux dents broyeuses et aux mains dotées de cinq doigts.

BLIKANASAURUS (« lézard de Blikana »)
Groupe : saurischiens, sauropodomorphes, sauropodes
Période : Trias supérieur
Taille et poids : 4 m de long, 150 kg
Lieu : Afrique du Sud
Description : herbivore quadrupède à long cou, dont on a seulement retrouvé une patte postérieure.

BOROGOVIA (« d'après les borogoves »)
Groupe : saurischiens, théropodes, cœlurosaures
Période : Crétacé supérieur
Taille et poids : 1 m de long, 5 kg
Lieu : Mongolie
Description : dinosaure bipède à longues pattes, qui pouvait être carnivore ou omnivore. Son deuxième orteil était plus haut que les autres.

BOTHRIOSPONDYLUS (« vertèbres à sillon »)
Groupe : saurischiens, sauropodomorphes, sauropodes
Période : Jurassique supérieur
Taille et poids : 16 m de long, 20 tonnes
Lieu : Angleterre
Description : herbivore quadrupède à long cou, doté de pattes antérieures longues et trapues.

BRACHIOSAURUS (« lézard à bras »)
Groupe : saurischiens, sauropodomorphes, sauropodes
Période : Jurassique supérieur
Taille et poids : 25 m de long, 50 tonnes
Lieu : États-Unis et Afrique orientale
Description : énorme herbivore quadrupède, à long cou, arborant une crête sur la tête.

BRACHYCERATOPS (« face à courtes cornes »)
Groupe : ornithischiens, marginocéphales, cératopsiens

Période : Crétacé supérieur
Taille et poids : 1,8 m de long, 45 kg
Lieu : États-Unis et Canada
Description : herbivore quadrupède doté d'un bec et d'un museau allongé. Il possédait une collerette et des cornes courtes.

BRACHYLOPHOSAURUS (« lézard à crête courte »)
Groupe : ornithischiens, ornithopodes, iguanodons
Période : Crétacé supérieur
Taille et poids : 7 m de long, 2,3 tonnes
Lieu : Canada
Description : herbivore bipède et quadrupède, à bec large et à crête.

BREVICERATOPS (« face à courtes cornes »)
Groupe : ornithischiens, marginocéphales, cératopsiens
Période : Crétacé supérieur
Taille et poids : 35 cm de long, 1 kg
Lieu : Mongolie
Description : petit herbivore quadrupède, semblable à Protoceratops. Il possédait une collerette courte et étroite ainsi qu'un bec étroit.

BUGENASAURA (« lézard à grosses joues »)
Groupe : ornithischiens, ornithopodes, et peut-être hypsilophodontidés
Période : Crétacé supérieur
Taille et poids : 3,5 m, 60 kg
Lieu : États-Unis
Description : herbivore probablement bipède, possédant un bec, un corps massif et des mains courtes.

BYRONOSAURUS (« lézard de Byron »)
Groupe : saurischiens, théropodes, cœlurosaures
Période : Crétacé supérieur
Taille et poids : 2,5 m de long, 25 kg
Lieu : Mongolie
Description : dinosaure bipède à longues pattes et à crâne allongé, possédant un grand nombre de petites dents. C'était soit un carnivore soit un omnivore.

CAENAGNATHASIA (« mâchoire nouvelle d'Asie »)
Groupe : saurischiens, théropodes, cœlurosaures
Période : Crétacé supérieur
Taille et poids : 1 m de long, 3 kg
Lieu : Ouzbékistan
Description : petit dinosaure bipède, qui pouvait être herbivore ou omnivore. Il était édenté et ressemblait à Oviraptor.

CALLOVOSAURUS (« lézard du Callovien »)
Groupe : ornithischiens, ornithopodes, iguanodons
Période : Jurassique moyen
Taille et poids : 3,5 m de long, 270 kg
Lieu : Angleterre
Description : herbivore bipède et quadrupède. On n'a retrouvé qu'un os de jambe.

CAMARASAURUS (« lézard à chambres »)
Groupe : saurischiens, sauropodomorphes, sauropodes
Période : Jurassique supérieur
Taille et poids : 18 m de long, 14 tonnes
Lieu : États-Unis
Description : grand herbivore quadrupède, à long cou et à dents spatulées.

CAMELOTIA (« d'après Camelot »)
Groupe : saurischiens, sauropodomorphes, sauropodes
Période : Trias supérieur
Taille et poids : 12 m de long, 6 tonnes
Lieu : Angleterre
Description : grand herbivore quadrupède, à long cou et à pattes trapues.

CAMPOSAURUS (« lézard de Camp »)
Groupe : saurischiens, théropodes, cœlophysoïdés
Période : Trias supérieur
Taille et poids : 3 m de long, 20 kg
Lieu : États-Unis
Description : prédateur bipède mince, probablement semblable à Coelophysis, mais dont on ne possède que des os de cheville.

CAMPTOSAURUS (« lézard flexible »)
Groupe : ornithischiens, ornithopodes, iguanodons
Période : Trias supérieur
Taille et poids : 3,5 m de long, 270 kg
Lieu : États-Unis
Description : herbivore bipède et quadrupède à dents broyeuses, aux mains dotées de cinq doigts.

CARCHARODONTOSAURUS (« lézard à dents de requin »)
Groupe : saurischiens, théropodes, allosaures
Période : Crétacé supérieur
Taille et poids : 12 m de long, 6 tonnes
Lieu : Afrique du Nord
Description : énorme prédateur bipède, aux mains dotées de trois doigts et aux dents d'une étroitesse inhabituelle.

CARNOTAURUS (« taureau carnivore »)
Groupe : saurischiens, théropodes, néocératosaures
Période : Crétacé supérieur
Taille et poids : 7,5 m de long, 1 tonne
Lieu : Argentine
Description : prédateur bipède aux longues pattes postérieures, aux bras courts, avec des cornes au-dessus des yeux.

CASEOSAURUS (« lézard de Case »)
Groupe : saurischiens, et peut-être herrérasauridés
Période : Trias supérieur
Taille et poids : 1 m de long, 5 kg
Lieu : États-Unis
Description : petit prédateur primitif bipède, probablement semblable à Herrerasaurus.

CAUDIPTERYX (« à plumes caudales »)
Groupe : saurischiens, théropodes, cœlurosaures
Période : Crétacé inférieur
Taille et poids : 1,6 m de long, 14 kg
Lieu : Chine
Description : omnivore bipède à plumes, à longues pattes postérieures, à queue courte et aux bras semblables à des ailes.

CEDAROSAURUS (« lézard de Cedar »)
Groupe : saurischiens, sauropodomorphes, sauropodes
Période : Crétacé inférieur
Taille et poids : 13 m de long, 7 tonnes
Lieu : États-Unis
Description : herbivore quadrupède, à long cou et aux pattes antérieures longues et grêles.

CEDARPELTA (« bouclier de Cedar »)
Groupe : ornithischiens, thyréophores, ankylosaures
Période : Crétacé inférieur
Taille et poids : 8,5 m de long, 1,7 tonne
Lieu : États-Unis
Description : herbivore quadrupède cuirassé, à museau étroit.

CENTROSAURUS (« lézard à pointe acérée »)
Groupe : ornithischiens, marginocéphales, cératopsiens
Période : Crétacé supérieur
Taille et poids : 5 m de long, 1 tonne
Lieu : Canada
Description : herbivore quadrupède doté d'un bec, d'une collerette courte et d'une longue corne sur le nez.

CERATOSAURUS (« lézard cornu »)
Groupe : saurischiens, théropodes, néocératosaures
Période : Jurassique supérieur
Taille et poids : 6 m de long, 600 kg
Lieu : États-Unis, Afrique orientale et Portugal
Description : prédateur bipède à nez cornu, doté de grandes dents et de plaques sur le dos.

CETIOSAURISCUS (« lézard baleine »)
Groupe : saurischiens, sauropodomorphes, sauropodes
Période : Jurassique moyen
Taille et poids : 15 m de long, 8 tonnes
Lieu : Angleterre
Description : herbivore quadrupède à longue queue, ressemblant peut-être à Diplodocus.

CETIOSAURUS (« lézard baleine »)
Groupe : saurischiens, sauropodomorphes, sauropodes
Période : Jurassique moyen et supérieur
Taille et poids : 15 m de long, 12 tonnes
Lieu : Angleterre et Afrique du Nord
Description : herbivore bipède et quadrupède, à long cou, au crâne et aux pattes trapus.

CHAOYANGSAURUS (« lézard de Chaoyang »)
Groupe : ornithischiens, marginocéphales
Période : Jurassique supérieur
Taille et poids : 1,5 m de long, 8 kg
Lieu : Chine
Description : herbivore bipède et quadrupède, possédant un bec étroit et des joues larges.

CHARONOSAURUS (« lézard de Charon »)
Groupe : ornithischiens, ornithopodes, iguanodons
Période : Crétacé supérieur
Taille et poids : 10 m de long, 5,5 tonnes
Lieu : Chine
Description : herbivore bipède et quadrupède doté d'un bec et d'une crête tubulaire sur la tête.

CHASMOSAURUS (« lézard à ouvertures »)
Groupe : ornithischiens, marginocéphales, cératopsiens
Période : Crétacé supérieur
Taille et poids : 5 m de long, 1,1 tonne
Lieu : États-Unis, Canada
Description : herbivore quadrupède, doté d'une collerette et de cornes sur le nez et au-dessus des yeux.

CHASSTERNBERGIA (« d'après Charles Sternberg »)
Groupe : ornithischiens, thyréophores, ankylosaures
Période : Crétacé supérieur
Taille et poids : 7 m de long, 1,5 tonne
Lieu : États-Unis
Description : herbivore quadrupède fortement cuirassé, possédant de grandes pointes tournées vers l'avant sur les épaules. Il s'agit peut-être du même animal qu'Edmontonia.

CHIALINGOSAURUS (« lézard de la Jialing »)
Groupe : ornithischiens, thyréophores, stégosaures
Période : Jurassique supérieur
Taille et poids : 3 m de long, 200 kg
Lieu : Chine
Description : herbivore quadrupède, portant des plaques le long du cou, du dos et de la queue.

CHILANTAISAURUS (« lézard de Jilantai »)
Groupe : saurischiens, théropodes, allosaures
Période : Crétacé inférieur
Taille et poids : 8 m de long, 1 tonne
Lieu : Chine
Description : grand prédateur bipède, qui possédait trois doigts aux mains et de grosses griffes.

CHINDESAURUS (« lézard de Chinde »)
Groupe : saurischiens, herrérasauridés
Période : Trias supérieur
Taille et poids : 4 m de long, 220 kg
Lieu : États-Unis
Description : prédateur bipède aux dents acérées, probablement semblable à Herrerasaurus.

CHIROSTENOTES (« à mains étroites »)
Groupe : saurischiens, théropodes, cœlurosaures
Période : Crétacé supérieur
Taille et poids : 2,5 m de long, 35 kg
Lieu : États-Unis et Canada
Description : dinosaure bipède édenté, qui pouvait être herbivore ou omnivore. Il possédait une crête sur la tête et de longs doigts.

CHUANDONGOCOELURUS (« queue creuse de Chuangdong »)
Groupe : saurischiens, théropodes, néocératosaures
Période : Jurassique moyen
Taille et poids : 2,5 m de long, 10 kg
Lieu : Chine
Description : petit prédateur bipède, au corps et à la queue sans doute allongés.

CHUANJIESAURUS (« lézard de Chuanjie »)
Groupe : saurischiens, sauropodomorphes, sauropodes
Période : Jurassique moyen
Taille et poids : 15 m de long, 12 tonnes
Lieu : Chine
Description : herbivore quadrupède à longue queue, probablement semblable à Cetiosaurus.

CHUBUTISAURUS (« lézard de Chubut »)
Groupe : saurischiens, sauropodomorphes, sauropodes
Période : Crétacé supérieur
Taille et poids : 23 m de long, 16 tonnes
Lieu : Argentine
Description : herbivore quadrupède massif, à la queue et aux pattes antérieures longues. Il avait peut-être une arête sur le dos.

CHUNGKINGOSAURUS (« lézard de Chongqing »)
Groupe : ornithischiens, thyréophores, stégosaures

Période : Jurassique supérieur
Taille et poids : 4 m de long, 350 kg
Lieu : Chine
Description : herbivore portant des plaques dressées sur le cou, le dos et la queue, ainsi que des pointes au bout de la queue.

CITIPATI (« seigneur du bûcher funéraire »)
Groupe : saurischiens, théropodes, cœlurosaures
Période : Crétacé supérieur
Taille et poids : 1,5 m de long, 5 kg
Lieu : Mongolie
Description : omnivore bipède édenté. Il possédait un crâne semblable à celui d'un perroquet, une crête sur la tête et une queue courte.

CLAOSAURUS (« lézard brisé »)
Groupe : ornithischiens, ornithopodes, iguanodons
Période : Crétacé supérieur
Taille et poids : 3,5 m de long, 600 kg
Lieu : États-Unis
Description : herbivore bipède et quadrupède, doté d'un bec semblable à celui d'un canard, de dents broyeuses et de bras grêles.

COELOPHYSIS (« forme creuse »)
Groupe : saurischiens, théropodes, cœlophysoïdés
Période : Trias supérieur
Taille et poids : 3 m de long, 20 kg
Lieu : États-Unis
Description : prédateur à longue queue, armé de dents lui permettant d'attraper des proies petites et grandes.

COELURUS (« queue creuse »)
Groupe : saurischiens, théropodes, cœlurosaures
Période : Jurassique supérieur
Taille et poids : 3 m de long, 25 kg
Lieu : États-Unis
Description : petit prédateur bipède.

COLORADISAURUS (« lézard de Colorados »)
Groupe : saurischiens, sauropodomorphes, prosauropodes
Période : Trias supérieur
Taille et poids : 4 m de long, 120 kg
Lieu : Argentine
Description : herbivore bipède et quadrupède à long cou, qui ressemblait à Plateosaurus.

COMPSOGNATHUS (« mâchoire délicate »)
Groupe : saurischiens, théropodes, cœlurosaures
Période : Jurassique supérieur
Taille et poids : 1 m de long, 3 kg
Lieu : France et Allemagne
Description : minuscule prédateur bipède à longues pattes postérieures, possédant trois doigts aux mains.

COMPSOSUCHUS (« crocodile délicat »)
Groupe : saurischiens, théropodes, néocératosaures
Période : Crétacé supérieur
Taille et poids : 1 m de long, 4 kg
Lieu : Inde
Description : petit prédateur bipède. Il avait sans doute les membres grêles et ressemblait peut-être à Noasaurus.

CONCHORAPTOR (« voleur de coquillages »)
Groupe : saurischiens, théropodes, cœlurosaures
Période : Crétacé supérieur
Taille et poids : 1,5 m de long, 5 kg
Lieu : Mongolie
Description : omnivore bipède à queue courte, doté d'un bec et d'une tête semblable à celle d'un perroquet.

CORYTHOSAURUS (« lézard à casque »)
Groupe : ornithischiens, ornithopodes, iguanodons
Période : Crétacé supérieur
Taille et poids : 8 m de long, 3 tonnes
Lieu : Canada
Description : herbivore bipède et quadrupède doté d'un bec et d'une grande crête en demi-cercle.

CRASPEDODON (« dent à bordure »)
Groupe : ornithischiens, ornithopodes, iguanodons
Période : Crétacé supérieur
Taille et poids : 7 m de long, 1 tonne
Lieu : Belgique
Description : herbivore dont on ne possède que les dents, qui sont semblables à celles d'Iguanodon.

CRICHTONSAURUS (« lézard de Crichton »)
Groupe : ornithischiens, thyréophores, ankylosaures
Période : Crétacé inférieur
Taille et poids : 3 m de long, 60 kg
Lieu : Chine
Description : herbivore quadrupède, avec des plaques sur le dos et de petites dents.

CRYOLOPHOSAURUS (« lézard à crête gelé »)
Groupe : saurischiens, théropodes, allosaures
Période : Jurassique inférieur
Taille et poids : 7 m de long, 1 tonne
Lieu : Antarctique
Description : prédateur bipède, doté d'une crête en forme d'éventail et de bras courts.

CRYPTOSAURUS (« lézard caché »)
Groupe : ornithischiens, thyréophores, ankylosaures
Période : Jurassique supérieur
Taille et poids : 7 m de long, 1,6 tonne
Lieu : Angleterre
Description : herbivore bipède cuirassé. On ne connaît de lui qu'un os de patte.

CRYPTOVOLANS (« dinosaure volant caché »)
Groupe : saurischiens, théropodes, cœlurosaures
Période : Crétacé inférieur
Taille et poids : 1 m de long, 4 kg
Lieu : Chine
Description : prédateur bipède, semblable à un oiseau, doté de longues plumes aux bras et aux mains.

DACENTRURUS (« queue à pointes »)
Groupe : ornithischiens, thyréophores, stégosaures
Période : Jurassique supérieur
Taille et poids : 6,5 m de long, 2,3 tonnes
Lieu : Angleterre, France, Espagne et Portugal
Description : grand stégosaure, portant des plaques dressées sur le cou et le dos et des pointes sur la queue et les épaules. C'est le premier stégosaure que l'on ait découvert.

DASPLETOSAURUS (« lézard effroyable »)
Groupe : saurischiens, théropodes, cœlurosaures
Période : Crétacé supérieur
Taille et poids : 9 m de long, 2 tonnes
Lieu : Canada
Description : prédateur bipède. Il avait les bras courts, les jambes longues et deux doigts aux mains.

DATOUSAURUS (« lézard chef »)
Groupe : saurischiens, sauropodomorphes, sauropodes
Période : Jurassique moyen
Taille et poids : 15 m de long, 8 tonnes
Lieu : Chine
Description : herbivore quadrupède à long cou, au corps trapu et à dents spatulées.

DEINOCHEIRUS (« terrible main »)
Groupe : saurischiens, théropodes, cœlurosaures
Période : Crétacé supérieur
Taille et poids : 10 m de long, 10 tonnes
Lieu : Mongolie
Description : dinosaure dont on ne connaît que les longs bras. Il avait trois doigts aux mains et de grosses griffes recourbées.

DEINONYCHUS (« terrible griffe »)
Groupe : saurischiens, théropodes, cœlurosaures
Période : Crétacé inférieur
Taille et poids : 3 m de long, 50 kg
Lieu : États-Unis
Description : prédateur semblable à un oiseau, doté d'une queue rigide, de grosses griffes aux pieds et de longs doigts.

DELTADROMEUS (« coureur du delta »)
Groupe : saurischiens, théropodes, cœlurosaures
Période : Crétacé supérieur
Taille et poids : 8 m de long, 1 tonne
Lieu : Afrique du Nord
Description : prédateur bipède, à longues pattes postérieures et à queue rigide.

DENVERSAURUS (« lézard de Denver »)
Groupe : ornithischiens, thyréophores, ankylosaures
Période : Crétacé supérieur
Taille et poids : 7 m de long, 1,5 tonne
Lieu : États-Unis
Description : herbivore quadrupède fortement cuirassé. Il avait de grandes pointes tournées vers l'avant aux épaules. C'était peut-être le même animal qu'Edmontonia.

DIANCHUNGOSAURUS (« lézard du Yunnan central »)
Groupe : ornithischiens, hétérodontosauridés
Période : Jurassique inférieur
Taille et poids : 1 m de long, 5 kg
Lieu : Chine
Description : petit dinosaure bipède et quadrupède. Herbivore ou omnivore, il ressemblait peut-être à Heterodontosaurus.

DICRAEOSAURUS (« lézard fourchu »)
Groupe : saurischiens, sauropodomorphes, sauropodes
Période : Jurassique supérieur
Taille et poids : 13 m de long, 7 tonnes
Lieu : Afrique orientale
Description : herbivore quadrupède. Son cou était plus court que celui de la plupart des autres sauropodes.

DILOPHOSAURUS (« lézard à double crête »)
Groupe : saurischiens, théropodes, coelophysoïdés
Période : Jurassique inférieur
Taille et poids : 6 m de long, 300 kg
Lieu : États-Unis
Description : prédateur léger, portant des crêtes parallèles en forme de plaques sur la tête et de grandes dents acérées.

DINHEIROSAURUS (« lézard de Dinheiro »)
Groupe : saurischiens, sauropodomorphes, sauropodes
Période : Jurassique supérieur
Taille et poids : 17 m de long, 8 tonnes
Lieu : Portugal
Description : herbivore quadrupède à longue queue, probablement semblable à Diplodocus.

DIPLODOCUS (« double poutre »)
Groupe : saurischiens, sauropodomorphes, sauropodes
Période : Jurassique supérieur
Taille et poids : 25 m de long, 11 tonnes
Lieu : États-Unis
Description : herbivore quadrupède colossal, aux dents en forme de crayon, doté d'un long cou et d'une longue queue.

DRACONYX (« griffe de dragon »)
Groupe : ornithischiens, ornithopodes, iguanodons
Période : Jurassique supérieur
Taille et poids : 3,5 m de long, 270 kg
Lieu : Portugal
Description : herbivore bipède et quadrupède, doté de cinq doigts aux mains et de dents broyeuses.

DRACOPELTA (« dragon cuirassé »)
Groupe : ornithischiens, thyréophores, ankylosaures
Période : Jurassique supérieur
Taille et poids : 4 m de long, 300 kg
Lieu : Portugal
Description : herbivore quadrupède au corps large, portant des plaques sur le dos et les flancs.

DRINKER (« d'après Drinker »)
Groupe : ornithischiens, ornithopodes, hypsilophodontidés
Période : Jurassique supérieur
Taille et poids : 1,5 m de long, 9 kg
Lieu : États-Unis
Description : petit dinosaure bipède qui pouvait être herbivore ou omnivore. Il possédait un bec étroit.

DROMAEOSAURUS (« lézard coureur »)
Groupe : saurischiens, théropodes, cœlurosaures
Période : Crétacé supérieur
Taille et poids : 2 m de long, 20 kg
Lieu : États-Unis et Canada
Description : prédateur semblable à un oiseau. Il avait sans doute de longs bras et une queue rigide.

DROMICEIOMIMUS (« qui ressemble à un émeu »)
Groupe : saurischiens, théropodes, cœlurosaures
Période : Crétacé supérieur
Taille et poids : 4 m de long, 150 kg
Lieu : Canada
Description : dinosaure bipède édenté aux pattes longues et aux yeux énormes. Il pouvait être herbivore ou omnivore.

DRYOSAURUS (« lézard des arbres »)
Groupe : ornithischiens, ornithopodes, iguanodons
Période : Jurassique supérieur
Taille et poids : 3 m de long, 100 kg
Lieu : États-Unis, France et Afrique orientale
Description : herbivore bipède doté de bras courts, d'une petite tête et d'un bec édenté.

DRYPTOSAURUS (« lézard déchireur »)
Groupe : saurischiens, théropodes, cœlurosaures
Période : Crétacé supérieur
Taille et poids : 6 m de long, 500 kg
Lieu : États-Unis
Description : grand prédateur bipède, qui était peut-être un tyrannosaure primitif.

DYOPLOSAURUS (« lézard à doubles plaques »)
Groupe : ornithischiens, thyréophores, ankylosaures
Période : Crétacé supérieur
Taille et poids : 6 m de long, 2,3 tonnes
Lieu : États-Unis et Canada
Description : grand herbivore quadrupède cuirassé, à queue en massue.

DYSLOCOSAURUS (« lézard difficile à situer »)
Groupe : saurischiens, sauropodomorphes, sauropodes
Période : Jurassique supérieur ou Crétacé supérieur
Taille et poids : 20 m de long, 13 tonnes
Lieu : États-Unis
Description : grand herbivore quadrupède à long cou, probablement semblable à Diplodocus.

ECHINODON (« à dents piquantes »)
Groupe : ornithischiens, hétérodontosauridés
Période : Crétacé inférieur
Taille et poids : 1 m de long, 5 kg
Lieu : Angleterre et États-Unis
Description : petit herbivore bipède et quadrupède, possédant des dents en forme de crocs à l'avant de la mâchoire.

EDMARKA (« d'après Edmark »)
Groupe : saurischiens, théropodes, spinosaures
Période : Jurassique supérieur
Taille et poids : 9 m de long, 2 tonnes
Lieu : États-Unis
Description : prédateur bipède à bras courts et à dents recourbées vers l'arrière.

EDMONTONIA (« d'Edmonton »)
Groupe : ornithischiens, thyréophores, ankylosaures
Période : Crétacé supérieur
Taille et poids : 7 m de long, 1,5 tonne
Lieu : États-Unis et Canada
Description : herbivore fortement cuirassé, possédant des pointes tournées vers l'avant aux épaules.

EDMONTOSAURUS (« lézard d'Edmonton »)
Groupe : ornithischiens, ornithopodes, iguanodons
Période : Crétacé supérieur
Taille et poids : 9 m de long, 4 tonnes
Lieu : États-Unis et Canada
Description : herbivore aux nombreuses dents broyeuses et au bec semblable à celui d'un canard.

EFRAASIA (« d'après E. Fraas »)
Groupe : saurischiens, sauropodomorphes
Période : Trias supérieur
Taille et poids : 2,5 m de long, 30 kg
Lieu : Allemagne
Description : herbivore à long cou possédant cinq doigts aux mains et des griffes puissantes aux pouces.

EINIOSAURUS (« lézard bison »)
Groupe : ornithischiens, marginocéphales, cératopsiens
Période : Crétacé supérieur
Taille et poids : 6 m de long, 1,5 tonne
Lieu : États-Unis
Description : herbivore possédant une corne sur le museau et une collerette dotée de deux pointes.

ELAPHROSAURUS (« lézard agile »)
Groupe : saurischiens, théropodes, néocératosaures
Période : Jurassique supérieur
Taille et poids : 6 m de long, 220 kg
Lieu : Afrique orientale et États-Unis
Description : prédateur bipède à long cou, qui était sans doute un coureur véloce.

EMAUSAURUS (« lézard de l'EMAU »)
Groupe : ornithischiens, thyréophores
Période : Jurassique inférieur
Taille et poids : 2 m de long, 35 kg
Lieu : Allemagne
Description : petit herbivore cuirassé primitif qui se déplaçait à quatre pattes. Son crâne était large et il avait de petites dents en forme de feuille.

ENIGMOSAURUS (« lézard énigmatique »)
Groupe : saurischiens, théropodes, cœlurosaures
Période : Crétacé supérieur
Taille et poids : 6 m de long, 270 kg
Lieu : Mongolie
Description : omnivore bipède à long cou, possédant de longues griffes aux mains, un ventre large et une queue courte.

EOBRONTOSAURUS (« lézard tonnerre de l'aube »)
Groupe : saurischiens, sauropodomorphes, sauropodes
Période : Jurassique supérieur
Taille et poids : 20 m de long, 15 tonnes
Lieu : États-Unis
Description : herbivore quadrupède, doté de pattes musclées et trapues, semblable à Apatosaurus.

EOLAMBIA (« lambéosauriné de l'aube »)
Groupe : ornithischiens, ornithopodes, iguanodons
Période : Crétacé inférieur
Taille et poids : 8 m de long, 3 tonnes
Lieu : États-Unis
Description : herbivore bipède et quadrupède, aux dents broyeuses et au bec semblable à celui d'un canard.

EORAPTOR (« voleur de l'aube »)
Groupe : saurischiens
Période : Trias supérieur
Taille et poids : 1 m de long, 10 kg
Lieu : Argentine
Description : petit prédateur primitif. Il possédait cinq doigts aux mains et des dents recourbées en forme de feuille.

EOTYRANNUS (« tyran de l'aube »)
Groupe : saurischiens, théropodes, cœlurosaures
Période : Crétacé inférieur
Taille et poids : 4 m de long, 180 kg
Lieu : Angleterre
Description : prédateur bipède, doté de longs bras, de longues pattes postérieures et d'un museau trapu. C'était sans doute un tyrannosaure primitif.

EPACHTHOSAURUS (« lézard lourd »)
Groupe : saurischiens, sauropodomorphes, sauropodes
Période : Crétacé supérieur
Taille et poids : 15 m de long, 7 tonnes
Lieu : Argentine
Description : herbivore quadrupède. Il avait un long cou, un corps large et des pattes robustes.

EPIDENDROSAURUS (« lézard des arbres »)
Groupe : saurischiens, théropodes, cœlurosaures
Période : Crétacé inférieur
Taille et poids : 20 cm de long, 70 g
Lieu : Chine
Description : minuscule prédateur bipède à longs bras, possédant un troisième doigt très long.

ERECTOPUS (« pied dressé »)
Groupe : saurischiens, théropodes, et peut-être allosaures
Période : Crétacé inférieur
Taille et poids : 5 m de long, 200 kg
Lieu : France, Portugal et Afrique du Nord
Description : prédateur bipède aux bras courts et aux mains dotées de petites griffes.

ERLIANSAURUS (« lézard d'Erlian »)
Groupe : saurischiens, théropodes, cœlurosaures
Période : Crétacé supérieur
Taille et poids : 3 m de long, 150 kg
Lieu : Chine
Description : dinosaure bipède herbivore ou omnivore. Il avait le bassin large et trois doigts aux mains.

ERLIKOSAURUS (« lézard d'Erlik »)
Groupe : saurischiens, théropodes, cœlurosaures
Période : Crétacé supérieur
Taille et poids : 5 m de long, 180 kg
Lieu : Mongolie
Description : omnivore bipède, à long cou et à queue courte.

ESHANOSAURUS (« lézard d'Eshan »)
Groupe : saurischiens, théropodes, cœlurosaures
Période : Jurassique inférieur
Taille et poids : 1,5 m de long, 8 kg
Lieu : Chine
Description : omnivore bipède à long cou, dont on ne possède que la mâchoire. Il ressemblait sans doute à Erlikosaurus.

EUCOELOPHYSIS (« vraie forme creuse »)
Groupe : saurischiens, théropodes, coelophysoïdés
Période : Trias supérieur
Taille et poids : 3 m de long, 20 kg
Lieu : États-Unis
Description : prédateur bipède mince à longue queue. Il ressemblait sans doute à Coelophysis.

EUHELOPUS (« vrai pied de marais »)
Groupe : saurischiens, sauropodomorphes, sauropodes
Période : Jurassique supérieur
Taille et poids : 10 m de long, 8,5 tonnes
Lieu : Chine
Description : herbivore quadrupède à très long cou et aux longues pattes.

EUOPLOCEPHALUS (« tête cuirassée »)
Groupe : ornithischiens, thyréophores, ankylosaures
Période : Crétacé supérieur
Taille et poids : 6 m de long, 2,3 tonnes
Lieu : États-Unis et Canada
Description : grand herbivore bipède cuirassé, aux pattes trapues. Il possédait une queue rigide en massue.

EURONYCHODON (« européen à dent en forme de griffe »)
Groupe : saurischiens, théropodes, cœlurosaures
Période : Crétacé supérieur
Taille et poids : 1 m de long, 6 kg
Lieu : Portugal et Ouzbékistan
Description : petit prédateur bipède, dont on ne possède que les dents.

EUSKELOSAURUS (« lézard aux bonnes pattes »)
Groupe : saurischiens, sauropodomorphes, prosauropodes
Période : Trias supérieur
Taille et poids : 9 m de long, 3,5 tonnes
Lieu : Afrique australe
Description : herbivore quadrupède, au corps épais doté d'un long cou et d'une longue queue.

EUSTREPTOSPONDYLUS (« aux vertèbres bien courbées »)
Groupe : saurischiens, théropodes, spinosaures
Période : Jurassique moyen
Taille et poids : 5 m de long, 220 kg
Lieu : Angleterre
Description : prédateur bipède dont on ne possède qu'un squelette. Il ressemblait à Megalosaurus.

FUKUIRAPTOR (« voleur de Fukui »)
Groupe : saurischiens, théropodes, allosaures
Période : Crétacé inférieur
Taille et poids : 4 m de long, 180 kg
Lieu : Japon
Description : prédateur bipède, aux mains dotées de griffes recourbées. Il ressemblait à Allosaurus.

FUKUISAURUS (« lézard de Fukui »)
Groupe : ornithischiens, ornithopodes, iguanodons
Période : Crétacé inférieur
Taille et poids : 5 m de long, 1 tonne
Lieu : Japon
Description : herbivore dont on ne possède que les dents et certaines parties du crâne.

FULGUROTHERIUM (« bête éclair »)
Groupe : ornithischiens, ornithopodes, hypsilophodontidés
Période : Crétacé inférieur
Taille et poids : 1,5 m de long, 9 kg
Lieu : Australie
Description : herbivore bipède, doté de bras courts, de longues pattes postérieures et d'un crâne trapu.

GALLIMIMUS (« qui imite un poulet »)
Groupe : saurischiens, théropodes, cœlurosaures
Période : Crétacé supérieur
Taille et poids : 6 m de long, 580 kg
Lieu : Mongolie
Description : omnivore véloce, doté d'un bec édenté et de longs bras grêles.

GALTONIA (« d'après Galton »)
Groupe : ornithischiens
Période : Jurassique supérieur
Taille et poids : 1 m de long, 4 kg
Lieu : États-Unis
Description : dinosaure dont on ne possède que les dents en forme de feuille. Il était herbivore ou omnivore et ressemblait sans doute à Lesothosaurus.

GARGOYLEOSAURUS (« lézard gargouille »)
Groupe : ornithischiens, thyréophores, ankylosaures
Période : Jurassique supérieur
Taille et poids : 3 m de long, 1,2 tonne
Lieu : États-Unis
Description : herbivore quadrupède cuirassé, possédant un bec étroit et des cornes sur la tête.

GARUDIMIMUS (« qui imite Garuda »)
Groupe : saurischiens, théropodes, cœlurosaures
Période : Crétacé supérieur
Taille et poids : 2,5 m de long, 90 kg
Lieu : Mongolie
Description : dinosaure bipède omnivore. Il était édenté et possédait une corne près des yeux.

GASOSAURUS (« lézard du gaz »)
Groupe : saurischiens, théropodes, cœlurosaures
Période : Jurassique moyen
Taille et poids : 4 m de long, 70 kg
Lieu : Chine
Description : prédateur bipède aux dents acérées, possédant trois griffes recourbées aux mains. On ne sait pas grand-chose sur lui.

GASPARINISAURA (« lézard de Gasparini »)
Groupe : ornithischiens, ornithopodes, iguanodons
Période : Crétacé supérieur
Taille et poids : 1 m de long, 10 kg
Lieu : Argentine
Description : petit herbivore bipède, à bec étroit et aux longues pattes postérieures.

GASTONIA (« d'après Gaston »)
Groupe : ornithischiens, thyréophores, ankylosaures
Période : Crétacé inférieur
Taille et poids : 6 m de long, 1,3 tonne
Lieu : États-Unis
Description : herbivore quadrupède cuirassé, possédant de longues pointes recourbées sur les épaules.

GENUSAURUS (« lézard à genou »)
Groupe : saurischiens, théropodes, néocératosaures
Période : Crétacé supérieur
Taille et poids : 5,5 m de long, 370 kg
Lieu : France
Description : prédateur bipède dont on ne possède que les os des pattes et du bassin. Il était peut-être semblable à Carnotaurus.

GENYODECTES (« mâchoires mordantes »)
Groupe : saurischiens, théropodes, et peut-être néocératosaures
Période : Crétacé supérieur
Taille et poids : 7,5 m de long, 1 tonne
Lieu : Argentine
Description : grand prédateur bipède à dents recourbées. On ne possède de lui qu'une partie de son crâne.

GERANOSAURUS (« lézard grue »)
Groupe : ornithischiens, hétérodontosauridés
Période : Jurassique inférieur
Taille et poids : 1 m de long, 5 kg
Lieu : Afrique du Sud
Description : petit omnivore bipède et quadrupède.

GIGANOTOSAURUS (« lézard géant du Sud »)
Groupe : saurischiens, théropodes, allosaures
Période : Crétacé supérieur
Taille et poids : 12,5 m de long, 6,5 tonnes
Lieu : Argentine
Description : prédateur géant bipède, avec un énorme crâne, des bras courts et des pattes postérieures trapues.

GILMOREOSAURUS (« lézard de Gilmore »)
Groupe : ornithischiens, ornithopodes, iguanodons
Période : Crétacé supérieur
Taille et poids : 4 m de long, 700 kg
Lieu : Chine
Description : herbivore bipède et quadrupède doté d'un bec semblable à celui d'un canard et de dents broyeuses.

GLYPTODONTOPELTA (« à bouclier de glyptodonte »)
Groupe : ornithischiens, thyréophores, ankylosaures
Période : Crétacé supérieur
Taille et poids : 7 m de long, 1,5 tonne
Lieu : États-Unis
Description : herbivore quadrupède à pattes courtes dont le dos était revêtu de plaques coriaces.

GOBISAURUS (« lézard de Gobi »)
Groupe : ornithischiens, thyréophores, ankylosaures
Période : Crétacé inférieur
Taille et poids : 6 m de long, 1,3 tonne
Lieu : Chine
Description : herbivore quadrupède cuirassé à bec étroit et à petites dents.

GOJIRASAURUS (« lézard Godzilla »)
Groupe : saurischiens, théropodes, coelophysoïdés
Période : Trias supérieur
Taille et poids : 5,5 m de long, 250 kg
Lieu : États-Unis
Description : prédateur bipède, qui possédait sans doute une longue queue et des dents acérées.

GONDWANATITAN (« géant du Gondwana »)
Groupe : saurischiens, sauropodomorphes, sauropodes
Période : Crétacé supérieur
Taille et poids : 7 m de long, 2,5 tonnes
Lieu : Brésil
Description : grand herbivore quadrupède à long cou, doté de pattes longues et fines et d'un corps trapu.

GONGBUSAURUS (« lézard du Gong Bu »)
Groupe : ornithischiens, ornithopodes, et peut-être hypsilophodontidés
Période : Jurassique supérieur
Taille et poids : 1,5 m de long, 9 kg
Lieu : Chine
Description : herbivore bipède, probablement semblable à Hypsilophodon.

GONGXIANOSAURUS (« lézard du Gonxian »)
Groupe : saurischiens, sauropodomorphes, et peut-être prosauropodes
Période : Jurassique inférieur
Taille et poids : 14 m de long, 7 tonnes
Lieu : Chine
Description : herbivore quadrupède à long cou, doté d'un museau trapu et d'une longue queue.

GORGOSAURUS (« lézard féroce »)
Groupe : saurischiens, théropodes, cœlurosaures
Période : Crétacé supérieur
Taille et poids : 8 m de long, 2,5 tonnes
Lieu : États-Unis et Canada
Description : prédateur bipède, aux longues pattes postérieures, aux bras courts et aux mains dotées de deux doigts.

GOYOCEPHALE (« tête ornée »)
Groupe : ornithischiens, marginocéphales, pachycéphalosaures
Période : Crétacé supérieur
Taille et poids : 3 m de long, 100 kg
Lieu : Mongolie
Description : herbivore bipède, possédant un bec, un corps large et des bras courts.

GRACILICERATOPS (« face cornue fine »)
Groupe : ornithischiens, marginocéphales, cératopsiens
Période : Crétacé supérieur
Taille et poids : 90 cm de long, 5 kg
Lieu : Mongolie
Description : petit herbivore bipède à bec étroit et à collerette courte.

GRAVITHOLUS (« dôme lourd »)
Groupe : ornithischiens, marginocéphales, pachycéphalosaures
Période : Crétacé supérieur
Taille et poids : 3 m de long, 100 kg
Lieu : Canada
Description : herbivore bipède doté d'un bec, dont on ne possède que le sommet du crâne.

GRYPOSAURUS (« lézard à nez crochu »)
Groupe : ornithischiens, ornithopodes, iguanodons
Période : Crétacé supérieur
Taille et poids : 8 m de long, 3 tonnes
Lieu : Canada
Description : herbivore bipède et quadrupède, avec un bec semblable à celui d'un canard et une crête en arc sur le nez.

GUAIBASAURUS (« lézard du Guaiba »)
Groupe : saurischiens, et peut-être théropodes
Période : Trias supérieur
Taille et poids : 2 m de long, 20 kg

Lieu : Brésil
Description : prédateur primitif bipède, dont on ne possède que les os des pattes et du bassin.

HADROSAURUS (« lézard corpulent »)
Groupe : ornithischiens, ornithopodes, iguanodons
Période : Crétacé supérieur
Taille et poids : 7 m de long, 2,3 tonnes
Lieu : États-Unis
Description : herbivore bipède et quadrupède, au bec semblable à celui d'un canard et aux dents broyeuses.

HALTICOSAURUS (« lézard agile »)
Groupe : saurischiens, théropodes, cœlophysoïdés
Période : Trias supérieur
Taille et poids : 5,5 m de long, 250 kg
Lieu : Allemagne
Description : prédateur bipède mince, qui possédait quatre doigts aux mains, ainsi qu'un crâne allongé et une longue queue.

HAPLOCANTHOSAURUS (« lézard à colonne vertébrale simple »)
Groupe : saurischiens, sauropodomorphes, sauropodes
Période : Jurassique supérieur
Taille et poids : 20 m de long, 15 tonnes
Lieu : États-Unis
Description : herbivore quadrupède, à long cou et à longue queue, et à pattes robustes.

HARPYMIMUS (« qui imite une harpie »)
Groupe : saurischiens, théropodes, cœlurosaures
Période : Crétacé supérieur
Taille et poids : 3 m de long, 125 kg
Lieu : Mongolie
Description : omnivore bipède, à longues pattes. Il possédait de petites dents coniques.

HERRERASAURUS (« lézard de Herrera »)
Groupe : saurischiens, herrérasauridés
Période : Trias supérieur
Taille et poids : 4 m de long, 220 kg
Lieu : Argentine
Description : prédateur bipède primitif. Il possédait cinq doigts aux mains et de longues dents acérées.

HESPEROSAURUS (« lézard occidental »)
Groupe : ornithischiens, thyréophores, stégosaures
Période : Jurassique supérieur
Taille et poids : 6 m de long, 1,8 tonne
Lieu : États-Unis
Description : herbivore quadrupède, possédant des plaques et des pointes dressées sur le cou, le dos et la queue.

HETERODONTOSAURUS (« lézard à dents différentes »)
Groupe : ornithischiens, hétérodontosauridés
Période : Jurassique inférieur
Taille et poids : 1 m de long, 5 kg
Lieu : Afrique du Sud
Description : petit omnivore bipède et quadrupède, aux dents de devant semblables à des crocs.

HISTRIASAURUS (« lézard d'Istrie »)
Groupe : saurischiens, sauropodomorphes, sauropodes
Période : Crétacé inférieur
Taille et poids : 20 m de long, 14 tonnes
Lieu : Europe orientale
Description : herbivore quadrupède à long cou et à longue queue, qui possédait une crête sur le dos.

HOMALOCEPHALE (« tête plate »)
Groupe : ornithischiens, marginocéphales, pachycéphalosaures
Période : Crétacé supérieur
Taille et poids : 3 m de long, 95 kg
Lieu : Mongolie
Description : herbivore bipède qui possédait un corps large, des bras courts et un bec. Son crâne épais était plat sur le dessus.

HOPLITOSAURUS (« lézard à bouclier »)
Groupe : ornithischiens, thyréophores, ankylosaures
Période : Crétacé inférieur
Taille et poids : 5 m de long, 800 kg
Lieu : États-Unis
Description : herbivore quadrupède cuirassé, semblable à Polacanthus.

HUABEISAURUS (« lézard du nord de la Chine »)
Groupe : saurischiens, sauropodomorphes, sauropodes
Période : Crétacé supérieur
Taille et poids : 15 m de long, 14 tonnes

Lieu : Chine
Description : herbivore quadrupède à long cou large et à long corps.

HUAYANGOSAURUS (« lézard du Sichuan »)
Groupe : ornithischiens, thyréophores, stégosaures
Période : Jurassique moyen
Taille et poids : 4 m de long, 300 kg
Lieu : Chine
Description : herbivore quadrupède, possédant des plaques et des pointes dressées sur le cou, le dos et la queue.

HUDEISAURUS (« lézard papillon »)
Groupe : saurischiens, sauropodomorphes, sauropodes
Période : Jurassique supérieur
Taille et poids : 30 m de long, 70 tonnes
Lieu : Chine
Description : herbivore quadrupède géant, à long cou et à grosses griffes sur les pouces.

HULSANPES (« pied de Khulsan »)
Groupe : saurischiens, théropodes, cœlurosaures
Période : Crétacé supérieur
Taille et poids : 1 m de long, 6 kg
Lieu : Mongolie
Description : petit prédateur semblable à un oiseau, possédant une petite griffe plus haute que les autres sur le deuxième orteil.

HYLAEOSAURUS (« lézard du Wealden »)
Groupe : ornithischiens, thyréophores, ankylosaures
Période : Crétacé inférieur
Taille et poids : 4 m de long, 500 kg
Lieu : Angleterre
Description : herbivore quadrupède cuirassé, doté de longues pointes sur les épaules.

HYPACROSAURUS (« lézard presque le plus élevé »)
Groupe : ornithischiens, ornithopodes, iguanodons
Période : Crétacé supérieur
Taille et poids : 9 m de long, 4,3 tonnes
Lieu : Canada
Description : herbivore possédant un bec semblable à celui d'un canard et une crête en forme de plaque sur la tête.

HYPSELOSAURUS (« lézard élevé »)
Groupe : saurischiens, sauropodomorphes, sauropodes
Période : Crétacé supérieur
Taille et poids : 8 m de long, 3 tonnes
Lieu : France et Espagne
Description : herbivore quadrupède à long cou, possédant un corps large et des pattes semblables à des colonnes.

HYPSILOPHODON (« dent d'Hypsilophus »)
Groupe : ornithischiens, ornithopodes, hypsilophodontidés
Période : Jurassique supérieur et Crétacé inférieur
Taille et poids : 1,4 m de long, 7 kg
Lieu : Angleterre, Allemagne, Espagne, Portugal, Roumanie et États-Unis
Description : petit herbivore bipède, qui possédait un bec étroit, de gros yeux et de longues griffes aux pattes postérieures.

IGUANODON (« dent d'iguane »)
Groupe : ornithischiens, ornithopodes, iguanodons
Période : Crétacé inférieur
Taille et poids : 8 m de long, 3,7 tonnes
Lieu : Angleterre, France, Espagne, Belgique, Allemagne, États-Unis et Mongolie
Description : herbivore bipède et quadrupède, avec des pouces en forme de pointe et des dents broyeuses.

ILOKOLESIA (« reptile mangeur de viande »)
Groupe : saurischiens, théropodes, néocératosaures
Période : Crétacé supérieur
Taille et poids : 6 m de long, 700 kg
Lieu : Argentine
Description : prédateur bipède. Il était apparenté à Abelisaurus et à Carnotaurus.

INCISIVOSAURUS (« lézard à incisives »)
Groupe : saurischiens, théropodes, cœlurosaures
Période : Crétacé inférieur
Taille et poids : 1 m de long, 4 kg
Lieu : Chine
Description : dinosaure bipède herbivore ou omnivore. Il possédait un crâne court, un bec et des dents proéminentes.

INDOSAURUS (« lézard indien »)
Groupe : saurischiens, théropodes, néocératosaures
Période : Crétacé supérieur
Taille et poids : 6,5 m de long, 750 kg
Lieu : Inde
Description : prédateur bipède, possédant des cornes trapues au-dessus des yeux. Il ressemblait peut-être à Carnotaurus.

INDOSUCHUS (« crocodile indien »)
Groupe : saurischiens, théropodes, néocératosaures
Période : Crétacé supérieur
Taille et poids : 7,5 m de long, 1 tonne
Lieu : Inde
Description : prédateur bipède. Il possédait un museau et avait peut-être des arêtes osseuses au-dessus des yeux.

INGENIA (« d'après Ingeni »)
Groupe : saurischiens, théropodes, cœlurosaures
Période : Crétacé supérieur
Taille et poids : 1,5 m de long, 5 kg
Lieu : Mongolie
Description : dinosaure bipède édenté, herbivore ou omnivore. Il avait une tête semblable à celle d'un perroquet.

IRRITATOR (« irritateur »)
Groupe : saurischiens, théropodes, spinosaures
Période : Crétacé inférieur
Taille et poids : 6 m de long, 600 kg
Lieu : Brésil
Description : prédateur bipède, au crâne étroit comme celui d'un crocodile. Ses yeux étaient surmontés d'une crête basse.

ISANOSAURUS (« lézard d'Isan »)
Groupe : saurischiens, sauropodomorphes, sauropodes
Période : Trias supérieur
Taille et poids : 12 m de long, 6 tonnes
Lieu : Thaïlande
Description : herbivore quadrupède primitif. Il avait un long cou et des pattes semblables à des colonnes.

ITEMIRUS (« d'Itemir »)
Groupe : saurischiens, théropodes, cœlurosaures
Période : Crétacé supérieur
Taille et poids : 4 m de long, 180 kg
Lieu : Mongolie
Description : dinosaure qui ressemblait peut-être aux tyrannosaures et dont on ne possède qu'un crâne partiel.

JANENSCHIA (« d'après Janensch »)
Groupe : saurischiens, sauropodomorphes, sauropodes
Période : Jurassique supérieur
Taille et poids : 18 m de long, 14 tonnes
Lieu : Afrique orientale
Description : grand herbivore quadrupède, doté de pattes robustes et d'un long cou.

JAXARTOSAURUS (« lézard du Iaxartes »)
Groupe : ornithischiens, ornithopodes, iguanodons
Période : Crétacé supérieur
Taille et poids : 9 m de long, 4 tonnes
Lieu : Kazakhstan
Description : herbivore bipède et quadrupède, qui possédait un bec semblable à celui d'un canard. Il avait sans doute une crête en forme de plaque sur le crâne.

JEHOLOSAURUS (« lézard de Jehol »)
Groupe : ornithischiens
Période : Crétacé inférieur
Taille et poids : 80 cm de long, 3 kg
Lieu : Chine
Description : herbivore bipède, doté d'un bec et de dents en forme de feuille.

JIANGSHANOSAURUS (« lézard de Jiangshan »)
Groupe : saurischiens, sauropodomorphes, sauropodes
Période : Crétacé inférieur
Taille et poids : 20 m de long, 12 tonnes
Lieu : Chine
Description : herbivore quadrupède, au long cou et aux pattes grêles. Il ressemblait peut-être à Alamosaurus.

JINGSHANOSAURUS (« lézard de Jingshan »)
Groupe : saurischiens, sauropodomorphes, prosauropodes
Période : Jurassique inférieur
Taille et poids : 10 m de long, 3 tonnes
Lieu : Chine
Description : herbivore quadrupède à long cou, qui possédait un corps trapu et un museau incliné.

JINZHOUSAURUS (« lézard du Jinzhou »)
Groupe : ornithischiens, ornithopodes, iguanodons
Période : Crétacé inférieur
Taille et poids : 7 m de long, 1,5 tonne
Lieu : Chine
Description : herbivore bipède et quadrupède, à dents broyeuses.

JOBARIA (« d'après Jobar »)
Groupe : saurischiens, sauropodomorphes, sauropodes
Période : Crétacé inférieur
Taille et poids : 18 m de long, 20 tonnes
Lieu : Afrique occidentale
Description : herbivore quadrupède au long cou et aux énormes narines.

KAIJIANGOSAURUS (« lézard de la Kai »)
Groupe : saurischiens, théropodes et peut-être cœlurosaures
Période : Jurassique moyen
Taille et poids : 7 m de long, 1 tonne
Lieu : Chine
Description : grand prédateur bipède. Il était peut-être semblable à Gasosaurus.

KAKURU (« serpent ancestral »)
Groupe : saurischiens, théropodes, cœlurosaures
Période : Crétacé supérieur
Taille et poids : 2,5 m de long, 23 kg
Lieu : Australie
Description : prédateur bipède. On ne possède de lui que ses pattes postérieures grêles.

KELMAYISAURUS (« lézard de Karamay »)
Groupe : saurischiens, théropodes et peut-être allosaures
Période : Crétacé inférieur
Taille et poids : 7 m de long, 1 tonne
Lieu : Chine
Description : grand prédateur bipède. Il était peut-être semblable à Allosaurus.

KENTROSAURUS (« lézard à pointes »)
Groupe : ornithischiens, thyréophores, stégosaures
Période : Jurassique supérieur
Taille et poids : 4 m de long, 320 kg
Lieu : Afrique orientale
Description : herbivore quadrupède, qui possédait des plaques dressées sur le cou, le dos et la queue.

KHAAN (« seigneur »)
Groupe : saurischiens, théropodes, cœlurosaures
Période : Crétacé supérieur
Taille et poids : 1 m de long, 4 kg
Lieu : Mongolie
Description : omnivore bipède, au crâne court semblable à celui d'un perroquet. Il possédait de longs bras et une queue courte.

KLAMELISAURUS (« lézard de Klameli »)
Groupe : saurischiens, sauropodomorphes, sauropodes
Période : Jurassique moyen
Taille et poids : 17 m de long, 15 tonnes
Lieu : Chine
Description : herbivore quadrupède à long cou. Il possédait des dents spatulées et avait peut-être une arête le long du dos.

KOPARION (« scalpel »)
Groupe : saurischiens, théropodes, cœlurosaures
Période : Jurassique supérieur
Taille et poids : 1 m de long, 6 kg
Lieu : États-Unis
Description : petit prédateur bipède, dont on ne possède que des dents fossilisées. Il ressemblait peut-être à Troodon.

KOTASAURUS (« lézard de Kota »)
Groupe : saurischiens, sauropodomorphes, sauropodes
Période : Jurassique inférieur
Taille et poids : 18 m de long, 8,5 tonnes
Lieu : Inde
Description : herbivore primitif quadrupède. Il avait un long cou et des dents spatulées.

KRITOSAURUS (« lézard divisé »)
Groupe : ornithischiens, ornithopodes, iguanodons
Période : Crétacé supérieur
Taille et poids : 6,5 m de long, 1,9 tonne
Lieu : États-Unis
Description : herbivore bipède et quadrupède, qui possédait une bosse sur le nez et un bec semblable à celui d'un canard.

KULCERATOPS (« face cornue du lac »)
Groupe : ornithischiens, marginocéphales, cératopsiens
Période : Crétacé inférieur
Taille et poids : 2 m de long, 50 kg
Lieu : Ouzbékistan
Description : herbivore quadrupède, doté de cornes sur la face, d'une collerette et de dents lui permettant de « tondre » la végétation.

LABOCANIA (« d'après La Bocana »)
Groupe : saurischiens, théropodes et peut-être cœlurosaures
Période : Crétacé supérieur
Taille et poids : 8 m de long, 1,5 tonne
Lieu : Mexique
Description : prédateur bipède, qui possédait un crâne lourd et massif. On ne sait pas grand-chose de lui.

LAEVISUCHUS (« crocodile léger »)
Groupe : saurischiens, théropodes, néocératosaures
Période : Crétacé supérieur
Taille et poids : 1 m de long, 4 kg
Lieu : Inde
Description : petit prédateur bipède. Il était peut-être semblable à Noasaurus et avait sans doute des membres grêles.

LAMBEOSAURUS (« lézard de Lambe »)
Groupe : ornithischiens, ornithopodes, iguanodons
Période : Crétacé supérieur
Taille et poids : 9 m de long, 4,5 tonnes
Lieu : Canada et Mexique
Description : herbivore massif bipède et quadrupède, qui possédait un bec et une crête sur la tête.

LAMETASAURUS (« lézard de Lameta »)
Groupe : saurischiens, théropodes, néocératosaures
Période : Crétacé supérieur
Taille et poids : 7,5 m de long, 1 tonne
Lieu : Inde
Description : prédateur bipède. Il possédait peut-être des arêtes osseuses au-dessus des yeux.

LANASAURUS (« lézard laineux »)
Groupe : ornithischiens, hétérodontosauridés
Période : Jurassique inférieur
Taille et poids : 1 m de long, 5 kg
Lieu : Afrique du Sud
Description : petit omnivore bipède et quadrupède, aux dents de devant en forme de crocs.

LAOSAURUS (« lézard fossile »)
Groupe : ornithischiens, ornithopodes, hypsilophodontidés
Période : Jurassique supérieur
Taille et poids : 1,5 m de long, 9 kg
Lieu : États-Unis et Canada
Description : petit herbivore bipède, qui possédait un bec, des mains courtes et des pattes postérieures longues. Il ressemblait peut-être à Hypsilophodon.

LAPLATASAURUS (« lézard de La Plata »)
Groupe : saurischiens, sauropodomorphes, sauropodes
Période : Crétacé supérieur
Taille et poids : 18 m de long, 11 tonnes
Lieu : Argentine et Uruguay
Description : herbivore quadrupède à long cou, doté de pattes postérieures semblables à des colonnes et de plaques sur le dos.

LAPPARENTOSAURUS (« lézard de Lapparent »)
Groupe : saurischiens, sauropodomorphes, sauropodes
Période : Jurassique moyen
Taille et poids : 16 m de long, 20 tonnes
Lieu : Madagascar
Description : grand herbivore quadrupède à long cou, qui possédait des pattes postérieures semblables à des colonnes.

LEAELLYNASAURA (« lézard de Leaellyn »)
Groupe : ornithischiens, ornithopodes, hypsilophodontidés
Période : Crétacé inférieur
Taille et poids : 1,5 m de long, 9 kg
Lieu : Australie
Description : petit herbivore bipède, possédant de longs membres et un bec, ainsi que de gros yeux.

LEPTOCERATOPS (« petit à face cornue »)
Groupe : ornithischiens, marginocéphales, cératopsiens
Période : Crétacé supérieur
Taille et poids : 2,5 m de long, 120 kg
Lieu : États-Unis et Canada
Description : herbivore quadrupède à queue courte, qui possédait un bec et une tête massive.

LESOTHOSAURUS (« lézard du Lesotho »)
Groupe : ornithischiens
Période : Jurassique inférieur
Taille et poids : 1 m de long, 4 kg
Lieu : Afrique australe
Description : dinosaure bipède herbivore ou omnivore qui possédait un bec et un long museau, ainsi que des pattes postérieures grêles.

LESSEMSAURUS (« lézard de Lessem »)
Groupe : saurischiens, sauropodomorphes, prosauropodes
Période : Trias supérieur
Taille et poids : 10 m de long, 3 tonnes
Lieu : Argentine
Description : grand herbivore quadrupède, qui possédait des pattes postérieures semblables à des colonnes, un long cou et une arête sur le dos.

LEXOVISAURUS (« lézard lexovien »)
Groupe : ornithischiens, thyréophores, stégosaures
Période : Jurassique moyen et supérieur
Taille et poids : 5 m de long, 1,1 tonne
Lieu : Angleterre et France
Description : herbivore quadrupède, avec plaques coriaces dressées sur le cou, le dos et la queue. Il avait aussi des pointes le long de la queue et sur les épaules.

LIAOCERATOPS (« face cornue du Liaoning »)
Groupe : ornithischiens, marginocéphales, cératopsiens
Période : Crétacé inférieur
Taille et poids : 90 cm de long, 5 kg
Lieu : Chine
Description : petit herbivore probablement bipède, qui possédait une courte collerette et un bec étroit.

LIAONINGOSAURUS (« lézard du Liaoning »)
Groupe : ornithischiens, thyréophores, ankylosaures
Période : Crétacé inférieur
Taille et poids : 34 cm de long, 1 kg
Lieu : Chine
Description : petit herbivore quadrupède cuirassé dont on ne possède que le squelette d'un jeune animal.

LIGABUEINO (« petit de Ligabue »)
Groupe : saurischiens, théropodes, néocératosaures
Période : Crétacé inférieur
Taille et poids : 1 m de long, 4 kg
Lieu : Argentine
Description : petit prédateur bipède, qui possédait probablement des membres grêles et un cou droit. Il ressemblait peut-être à Noasaurus.

LILIENSTERNUS (« d'après Lilienstern »)
Groupe : saurischiens, théropodes, cœlophysoïdés
Période : Trias supérieur
Taille et poids : 5 m de long, 130 kg
Lieu : Allemagne
Description : prédateur bipède à corps mince, dont le crâne ressemblait à celui de Coelophysis.

LIRAINOSAURUS (« lézard élancé »)
Groupe : saurischiens, sauropodomorphes, sauropodes
Période : Crétacé supérieur
Taille et poids : 12 m de long, 6 tonnes
Lieu : Espagne
Description : grand herbivore quadrupède à long cou, doté de plaques sur le dos.

LOPHORHOTHON (« nez crêté »)
Groupe : ornithischiens, ornithopodes, iguanodons
Période : Crétacé supérieur
Taille et poids : 8 m de long, 3,2 tonnes
Lieu : États-Unis
Description : herbivore bipède et quadrupède, doté d'un bec et d'une bosse sur le museau.

LOSILLASAURUS (« lézard de Losilla »)
Groupe : saurischiens, sauropodomorphes, sauropodes
Période : Crétacé inférieur
Taille et poids : 23 m de long, 16 tonnes

Lieu : Espagne
Description : herbivore quadrupède à long cou et longue queue, qui ressemblait à Diplodocus.

LOURINHANOSAURUS (« lézard de Lourinhã »)
Groupe : saurischiens, théropodes, allosaures
Période : Jurassique supérieur
Taille et poids : 4 m de long, 180 kg
Lieu : Portugal
Description : prédateur bipède, peut-être semblable à Sinraptor ou à Allosaurus.

LOURINHASAURUS (« lézard de Lourinhã »)
Groupe : saurischiens, sauropodomorphes, sauropodes
Période : Jurassique supérieur
Taille et poids : 17 m de long, 16 tonnes
Lieu : Portugal
Description : herbivore quadrupède à long cou, probablement semblable à Camarasaurus.

LUCIANOSAURUS (« lézard de Luciano »)
Groupe : ornithischiens
Période : Jurassique supérieur
Taille et poids : 1 m de long, 4 kg
Lieu : États-Unis
Description : dinosaure bipède dont on ne possède que les dents. Il était herbivore ou omnivore et ressemblait peut-être à Lesothosaurus.

LUFENGOSAURUS (« lézard du Lufeng »)
Groupe : saurischiens, sauropodomorphes, prosauropodes
Période : Trias supérieur
Taille et poids : 6 m de long, 1 tonne
Lieu : Chine
Description : herbivore bipède et quadrupède, à long cou et à longue queue.

LURDUSAURUS (« lézard lourd »)
Groupe : ornithischiens, ornithopodes, iguanodons
Période : Crétacé inférieur
Taille et poids : 9 m de long, 5 tonnes
Lieu : Afrique occidentale
Description : herbivore bipède et quadrupède, à corps trapu, aux membres corpulents, doté d'un bec et de pouces en forme de pointe.

LYCORHINUS (« museau de loup »)
Groupe : ornithischiens, hétérodontosauridés
Période : Jurassique inférieur
Taille et poids : 1 m de long, 5 kg
Lieu : Afrique du Sud
Description : petit omnivore bipède et quadrupède, qui possédait des dents en forme de crocs à l'avant des mâchoires.

MACRUROSAURUS (« lézard à longue queue »)
Groupe : saurischiens, sauropodomorphes, sauropodes
Période : Crétacé inférieur
Taille et poids : 18 m de long, 11 tonnes
Lieu : Angleterre
Description : herbivore quadrupède, au long cou et aux pattes semblables à des colonnes.

MAGNOSAURUS (« grand lézard »)
Groupe : saurischiens, théropodes, et peut-être spinosaures
Période : Jurassique moyen
Taille et poids : 5 m de long, 220 kg
Lieu : Angleterre
Description : prédateur bipède, qui possédait sans doute des bras courts et un crâne allongé.

MAGYAROSAURUS (« lézard des Magyars »)
Groupe : saurischiens, sauropodomorphes, sauropodes
Période : Crétacé supérieur
Taille et poids : 5 m de long, 1 tonne
Lieu : Europe orientale
Description : herbivore quadrupède, doté d'un long cou et de plaques protectrices sur le dos.

MAIASAURA (« lézard bonne mère »)
Groupe : ornithischiens, ornithopodes, iguanodons
Période : Crétacé supérieur
Taille et poids : 9 m de long, 4,5 tonnes
Lieu : États-Unis
Description : herbivore bipède et quadrupède, doté d'un bec semblable à celui d'un canard et d'une crête au-dessus des yeux.

MAJUNGATHOLUS (« dôme de Majunga »)
Groupe : saurischiens, théropodes, néocératosaures
Période : Crétacé supérieur
Taille et poids : 8 m de long, 1,1 tonne
Lieu : Madagascar
Description : prédateur bipède à longs membres, qui possédait une corne sur le front.

MALAWISAURUS (« lézard du Malawi »)
Groupe : saurischiens, sauropodomorphes, sauropodes
Période : Crétacé inférieur
Taille et poids : 18 m de long, 11 tonnes
Lieu : Afrique orientale
Description : grand herbivore quadrupède à long cou, possédant une petite tête et des plaques coriaces sur le dos.

MALEEVUS (« d'après Maleev »)
Groupe : ornithischiens, thyréophores, ankylosaures
Période : Crétacé supérieur
Taille et poids : 5 m de long, 700 kg
Lieu : Mongolie
Description : herbivore quadrupède cuirassé, qui avait le crâne de forme carrée et une queue en massue.

MAMENCHISAURUS (« lézard du Mamenchi »)
Groupe : saurischiens, sauropodomorphes, sauropodes
Période : Jurassique supérieur
Taille et poids : 20 m de long, 14 tonnes
Lieu : Chine
Description : herbivore quadrupède au cou d'une longueur inhabituelle. Il possédait de longs membres et une tête carrée.

MARSHOSAURUS (« lézard de Marsh »)
Groupe : saurischiens, théropodes, et peut-être allosaures
Période : Jurassique supérieur
Taille et poids : 5 m de long, 280 kg
Lieu : États-Unis
Description : prédateur bipède, doté de bras courts et puissants, probablement semblable à Allosaurus.

MASIAKASAURUS (« lézard brutal »)
Groupe : saurischiens, théropodes, néocératosaures
Période : Crétacé supérieur
Taille et poids : 2 m de long, 12 kg
Lieu : Madagascar
Description : petit prédateur bipède, aux longues dents de devant implantées à l'horizontale.

MASSOSPONDYLUS (« vertèbres allongées »)
Groupe : saurischiens, sauropodomorphes, prosauropodes
Période : Trias supérieur
Taille et poids : 4 m de long, 130 kg
Lieu : Afrique australe, Argentine et États-Unis
Description : omnivore bipède et quadrupède à long cou et à petite tête, aux pouces dotés de grandes griffes recourbées.

MEGALOSAURUS (« grand lézard »)
Groupe : saurischiens, théropodes, spinosaures
Période : Jurassique moyen
Taille et poids : 7 m de long, 1 tonne
Lieu : Angleterre
Description : prédateur bipède à bras courts et à dents recourbées vers l'arrière.

MEGARAPTOR (« grand voleur »)
Groupe : saurischiens, théropodes, cœlurosaures
Période : Crétacé supérieur
Taille et poids : 8 m de long, 600 kg
Lieu : Argentine
Description : prédateur bipède, dont le deuxième orteil était armé d'une grande griffe recourbée.

MELANOROSAURUS (« lézard de la Black Mountain »)
Groupe : saurischiens, sauropodomorphes, prosauropodes
Période : Trias supérieur
Taille et poids : 12 m de long, 6 tonnes
Lieu : Afrique du Sud
Description : grand herbivore quadrupède, à long cou et aux pattes postérieures semblables à des colonnes.

METRIACANTHOSAURUS (« lézard à pointes modérées »)
Groupe : saurischiens, théropodes, spinosaures
Période : Jurassique supérieur
Taille et poids : 7 m de long, 1 tonne
Lieu : Angleterre
Description : prédateur bipède à bras courts, portant une grande arête le long du dos.

MICROCERATOPS (« petit à face cornue »)
Groupe : ornithischiens, marginocéphales, cératopsiens
Période : Crétacé supérieur
Taille et poids : 75 cm de long, 2 kg
Lieu : Chine
Description : herbivore bipède et quadrupède, petit et mince, qui possédait un bec, une collerette courte et des joues larges.

MICROPACHYCEPHALOSAURUS (« petit lézard au crâne épais »)
Groupe : ornithischiens, marginocéphales, pachycéphalosaures
Période : Crétacé supérieur
Taille et poids : 60 cm de long, 2 kg
Lieu : Chine
Description : minuscule herbivore bipède, doté d'un corps large et d'un crâne plat épais.

MICRORAPTOR (« petit voleur »)
Groupe : saurischiens, théropodes, cœlurosaures
Période : Crétacé inférieur
Taille et poids : 30 cm de long, 350 g
Lieu : Chine
Description : minuscule prédateur bipède, semblable à un oiseau, qui possédait de longs bras, une queue rigide et des griffes recourbées aux pieds.

MICROVENATOR (« petit chasseur »)
Groupe : saurischiens, théropodes, cœlurosaures
Période : Crétacé inférieur
Taille et poids : 1,5 m de long, 11 kg
Lieu : États-Unis
Description : dinosaure bipède herbivore ou omnivore, à queue courte.

MINMI (« Minmi »)
Groupe : ornithischiens, thyréophores, ankylosaures
Période : Crétacé inférieur
Taille et poids : 3 m de long, 60 kg
Lieu : Australie
Description : herbivore quadrupède, doté d'un bec et de plaques sur le ventre, le dos et la queue.

MONKONOSAURUS (« lézard de Monko »)
Groupe : ornithischiens, thyréophores, stégosaures
Période : Jurassique supérieur et Crétacé inférieur
Taille et poids : 4,5 m de long, 650 kg
Lieu : Tibet
Description : herbivore quadrupède, revêtu de plaques et de pointes sur le cou, le dos et la queue.

MONOCLONIUS (« éruption unique »)
Groupe : ornithischiens, marginocéphales, cératopsiens
Période : Crétacé supérieur
Taille et poids : 5 m de long, 1,1 tonne
Lieu : États-Unis et Canada
Description : herbivore quadrupède, doté d'un bec, d'une longue corne sur le nez et d'une courte collerette.

MONOLOPHOSAURUS (« lézard à crête unique »)
Groupe : saurischiens, théropodes, allosaures
Période : Jurassique moyen
Taille et poids : 6 m de long, 600 kg
Lieu : Chine
Description : prédateur bipède, à crête creuse sur la tête et à dents acérées.

MONONYKUS (« griffe unique »)
Groupe : saurischiens, théropodes, cœlurosaures
Période : Crétacé supérieur
Taille et poids : 1 m de long, 3 kg
Lieu : Mongolie
Description : prédateur bipède omnivore à plumes, qui possédait une tête semblable à celle d'un oiseau et des bras courts.

MONTANOCERATOPS (« face cornue du Montana »)
Groupe : ornithischiens, marginocéphales, cératopsiens
Période : Crétacé supérieur
Taille et poids : 1,8 m de long, 50 kg
Lieu : États-Unis
Description : herbivore quadrupède, doté d'un bec, d'une collerette courte et d'une petite corne sur le nez.

MUSSAURUS (« lézard souris »)
Groupe : saurischiens, sauropodomorphes, prosauropodes
Période : Trias supérieur
Taille et poids : peut-être 3 m de long, 85 kg
Lieu : Argentine
Description : herbivore bipède et quadrupède à long cou, dont on ne possède que les œufs et des bébés minuscules.

MUTTABURRASAURUS (« lézard de Muttaburra »)
Groupe : ornithischiens, ornithopodes, iguanodons
Période : Crétacé supérieur
Taille et poids : 9 m de long, 4,1 tonnes
Lieu : Australie
Description : herbivore bipède et quadrupède, doté d'un bec édenté et de dents broyeuses. Il arborait une crête épaisse sur le museau.

MYMOORAPELTA (« bouclier de Mygatt et Moore »)
Groupe : ornithischiens, thyréophores, ankylosaures
Période : Jurassique supérieur
Taille et poids : 3 m de long, 430 kg
Lieu : États-Unis
Description : herbivore quadrupède, à la queue dotée de pointes, revêtu de plaques sur le dos et les flancs.

NAASHOIBITOSAURUS (« lézard de Naashoibito »)
Groupe : ornithischiens, ornithopodes, iguanodons
Période : Crétacé supérieur
Taille et poids : 6,5 m de long, 1,9 tonne
Lieu : États-Unis
Description : herbivore bipède et quadrupède, qui possédait un bec semblable à celui d'un canard et une bosse sur le nez.

NANOSAURUS (« lézard pygmée »)
Groupe : ornithischiens, ornithopodes, hypsilophodontidés
Période : Jurassique supérieur
Taille et poids : 90 cm de long, 4 kg
Lieu : États-Unis
Description : minuscule herbivore bipède semblable à Hypsilophodon. Il possédait un bec, des mains courtes et de longues pattes postérieures.

NANSHIUNGOSAURUS (« lézard de Nanxiong »)
Groupe : saurischiens, théropodes, cœlurosaures
Période : Crétacé supérieur
Taille et poids : 6 m de long, 300 kg
Lieu : Chine
Description : omnivore bipède, doté de longues griffes aux mains, d'un ventre large et d'une queue courte. Il ressemblait à Erlikosaurus.

NANYANGOSAURUS (« lézard de Nanyang »)
Groupe : ornithischiens, ornithopodes, iguanodons
Période : Crétacé inférieur
Taille et poids : 4,5 m de long, 260 kg
Lieu : Chine
Description : herbivore bipède et quadrupède, aux dents broyeuses et au bec édenté semblable à celui d'un canard.

NEDCOLBERTIA (« d'après Ned Colbert »)
Groupe : saurischiens, théropodes, cœlurosaures
Période : Crétacé inférieur
Taille et poids : 3 m de long, 40 kg
Lieu : États-Unis
Description : prédateur bipède, aux pattes postérieures longues et fines et aux mains dotées de griffes acérées.

NEIMONGOSAURUS (« lézard de Nei Mongol »)
Groupe : saurischiens, théropodes, cœlurosaures
Période : Crétacé supérieur
Taille et poids : 2,5 m de long, 100 kg
Lieu : Chine
Description : dinosaure bipède herbivore ou omnivore, qui possédait un cou et des bras longs, ainsi que des dents en forme de feuille.

NEMEGTOSAURUS (« lézard de Nemegt »)
Groupe : saurischiens, sauropodomorphes, sauropodes
Période : Crétacé supérieur
Taille et poids : 12 m de long, 10 tonnes
Lieu : Mongolie
Description : grand herbivore quadrupède à long cou, doté de dents semblables à des crayons et d'une gueule large.

NEOVENATOR (« nouveau chasseur »)
Groupe : saurischiens, théropodes, allosaures
Période : Crétacé inférieur
Taille et poids : 7,5 m de long, 1 tonne
Lieu : Angleterre
Description : prédateur bipède, semblable à Allosaurus et au crâne doté d'une arête.

NEUQUENSAURUS (« lézard de Neuquén »)
Groupe : saurischiens, sauropodomorphes, sauropodes
Période : Crétacé supérieur
Taille et poids : 12 m de long, 6 tonnes
Lieu : Argentine
Description : herbivore quadrupède qui possédait des pattes postérieures semblables à des colonnes et un long cou. Son corps était probablement revêtu de plaques protectrices.

NIGERSAURUS (« lézard du Niger »)
Groupe : saurischiens, sauropodomorphes, sauropodes
Période : Crétacé inférieur
Taille et poids : 15 m de long, 7 tonnes
Lieu : Niger
Description : herbivore quadrupède à long cou. Sa gueule, plus large que le reste de sa tête, renfermait environ 600 dents fines.

NIOBRARASAURUS (« lézard de Niobrara »)
Groupe : ornithischiens, thyréophores, ankylosaures
Période : Crétacé supérieur
Taille et poids : 6 m de long, 1,2 tonne
Lieu : États-Unis
Description : herbivore quadrupède, qui possédait des plaques protectrices, une longue queue flexible, un bassin large et des pattes courtes.

NIPPONOSAURUS (« lézard japonais »)
Groupe : ornithischiens, ornithopodes, iguanodons
Période : Crétacé supérieur
Taille et poids : 5 m de long, 1,1 tonne
Lieu : Russie
Description : herbivore quadrupède à dents broyeuses et au bec semblable à celui d'un canard.

NOASAURUS (« lézard du nord-ouest de l'Argentine »)
Groupe : saurischiens, théropodes, néocératosaures
Période : Crétacé supérieur
Taille et poids : 2 m de long, 15 kg
Lieu : Argentine
Description : petit prédateur bipède, qui possédait une griffe plus haute que les autres sur chaque pied et un cou plutôt droit.

NODOCEPHALOSAURUS (« lézard à tête noduleuse »)
Groupe : ornithischiens, thyréophores, ankylosaures
Période : Crétacé supérieur
Taille et poids : 6 m de long, 1,2 tonne
Lieu : États-Unis
Description : herbivore quadrupède doté d'un bec dont on ne possède que le crâne, qui était large et couvert de plaques.

NODOSAURUS (« lézard noduleux »)
Groupe : ornithischiens, thyréophores, ankylosaures
Période : Crétacé supérieur
Taille et poids : 6 m de long, 1,2 tonne
Lieu : États-Unis
Description : herbivore quadrupède cuirassé à bassin large. Son petit cou était surmonté d'une tête étroite à museau pointu, ses pattes étaient courtes et sa queue, longue et flexible.

NOMINGIA (« d'après Nomingiin »)
Groupe : saurischiens, théropodes, cœlurosaures
Période : Crétacé supérieur
Taille et poids : 2,5 m de long, 30 kg
Lieu : Mongolie
Description : dinosaure bipède, herbivore ou omnivore. Il ressemblait à Oviraptor, mais les os de sa queue étaient fusionnés.

NOTHRONYCHUS (« griffe de paresseux »)
Groupe : saurischiens, théropodes, cœlurosaures
Période : Crétacé supérieur
Taille et poids : 5 m de long, 180 kg
Lieu : États-Unis
Description : omnivore bipède semblable à Erlikosaurus. Il possédait des mains armées de longues griffes, un ventre large et une queue courte.

NOTOHYPSILOPHODON (« Hypsilophodon du Sud »)
Groupe : ornithischiens, ornithopodes, hypsilophodontidés
Période : Crétacé supérieur
Taille et poids : 1,5 m de long, 9 kg
Lieu : Argentine
Description : herbivore bipède, doté d'un bec, de pattes postérieures fines et de bras courts.

NQWEBASAURUS (« lézard de Kirkwood »)
Groupe : saurischiens, théropodes, cœlurosaures
Période : Crétacé inférieur
Taille et poids : 1 m de long, 4 kg
Lieu : Afrique du Sud
Description : prédateur bipède, qui possédait trois doigts aux mains et de fines griffes recourbées.

NUTHETES (« surveillant »)
Groupe : saurischiens, théropodes, cœlurosaures
Période : Crétacé inférieur
Taille et poids : 1 m de long, 3 kg
Lieu : Angleterre
Description : petit prédateur bipède, dont on ne possède que des dents. Il avait probablement de longs bras et une queue rigide.

OHMDENOSAURUS (« lézard d'Ohmden »)
Groupe : saurischiens, sauropodomorphes, sauropodes
Période : Jurassique inférieur
Taille et poids : 4 m de long, 150 kg
Lieu : Allemagne
Description : herbivore quadrupède à long cou, probablement semblable à Vulcanodon.

OMEISAURUS (« lézard d'Emei »)
Groupe : saurischiens, sauropodomorphes, sauropodes
Période : Jurassique supérieur
Taille et poids : 18 m de long, 8,5 tonnes
Lieu : Chine
Description : herbivore quadrupède à très long cou, au crâne carré et aux longues pattes postérieures.

OPISTHOCOELICAUDIA (« os de la queue creusé à l'arrière »)
Groupe : saurischiens, sauropodomorphes, sauropodes
Période : Crétacé supérieur
Taille et poids : 12 m de long, 10 tonnes
Lieu : Mongolie
Description : herbivore quadrupède à long cou. La forme des vertèbres de sa queue laisse penser qu'il se dressait sur ses pattes postérieures, en appui sur elle.

ORNATOTHOLUS (« dôme décoré »)
Groupe : ornithischiens, marginocéphales, pachycéphalosaures
Période : Crétacé supérieur
Taille et poids : 2,5 m de long, 60 kg
Lieu : Canada
Description : herbivore bipède, qui possédait un bec, un corps large et des bras courts.

ORNITHODESMUS (« lien aux oiseaux »)
Groupe : saurischiens, théropodes, cœlurosaures
Période : Crétacé inférieur
Taille et poids : 1,5 m de long, 5 kg
Lieu : Angleterre
Description : prédateur bipède, probablement semblable à Velociraptor, dont on ne possède que le bassin.

ORNITHOLESTES (« voleur d'oiseaux »)
Groupe : saurischiens, théropodes, cœlurosaures
Période : Jurassique supérieur
Taille et poids : 2 m de long, 13 kg
Lieu : États-Unis
Description : petit prédateur bipède aux mains dotées de trois longs doigts, au crâne petit et à la queue longue.

ORNITHOMIMUS (« qui imite un oiseau »)
Groupe : saurischiens, théropodes, cœlurosaures
Période : Crétacé supérieur
Taille et poids : 3 m de long, 110 kg
Lieu : États-Unis et Canada
Description : omnivore bipède véloce, qui possédait un bec édenté et de longues mains.

ORODROMEUS (« coureur de montagne »)
Groupe : ornithischiens, ornithopodes, hypsilophodontidés
Période : Crétacé supérieur
Taille et poids : 2 m de long, 13 kg
Lieu : États-Unis
Description : herbivore bipède doté d'un bec, d'une queue rigide, de bras courts et de mains à cinq doigts.

OTHNIELIA (« d'après Othniel »)
Groupe : ornithischiens, ornithopodes, hypsilophodontidés
Période : Jurassique supérieur
Taille et poids : 3 m de long, 16 kg
Lieu : États-Unis
Description : dinosaure bipède herbivore ou omnivore, doté d'un bec.

OURANOSAURUS (« lézard sans peur »)
Groupe : ornithischiens, ornithopodes, iguanodons
Période : Crétacé inférieur
Taille et poids : 6 m de long, 1,1 tonne
Lieu : Afrique du Nord
Description : herbivore bipède et quadrupède, doté d'un bec semblable à celui d'un canard et d'une voile sur le dos.

OVIRAPTOR (« voleur d'œufs »)
Groupe : saurischiens, théropodes, cœlurosaures
Période : Crétacé supérieur
Taille et poids : 2,5 m de long, 35 kg
Lieu : Mongolie
Description : omnivore bipède édenté, qui possédait de longs bras, un crâne semblable à celui d'un perroquet et une queue courte.

OZRAPTOR (« voleur australien »)
Groupe : saurischiens, théropodes
Période : Jurassique moyen
Taille et poids : 2,5 m de long, 20 kg
Lieu : Australie
Description : prédateur bipède dont on ne possède qu'un os partiel de patte postérieure.

PACHYCEPHALOSAURUS (« lézard à crâne épais »)
Groupe : ornithischiens, marginocéphales, pachycéphalosaures
Période : Crétacé supérieur
Taille et poids : 5 m de long, 300 kg
Lieu : États-Unis
Description : herbivore bipède, qui possédait un bec, ainsi qu'un crâne épais cuirassé de bosses et de pointes.

PACHYRHINOSAURUS (« lézard à nez épais »)
Groupe : ornithischiens, marginocéphales, cératopsiens
Période : Crétacé supérieur
Taille et poids : 6 m de long, 1,5 tonne
Lieu : Canada
Description : herbivore quadrupède, doté d'un bec, d'une collerette et d'un coussin osseux épais sur le nez.

PANOPLOSAURUS (« lézard entièrement cuirassé »)
Groupe : ornithischiens, thyréophores, ankylosaures
Période : Crétacé supérieur
Taille et poids : 7 m de long, 1,5 tonne
Lieu : États-Unis et Canada
Description : herbivore quadrupède cuirassé, doté de pointes tournées vers l'avant sur les épaules.

PARALITITAN (« géant du littoral »)
Groupe : saurischiens, sauropodomorphes, sauropodes
Période : Crétacé supérieur
Taille et poids : 27 m de long, 78 tonnes
Lieu : Égypte
Description : herbivore quadrupède géant à long cou, doté de longues pattes semblables à des colonnes.

PARANTHODON (« semblable à dents en forme de fleur »)
Groupe : ornithischiens, thyréophores, stégosaures
Période : Crétacé inférieur
Taille et poids : 4,5 m de long, 650 kg
Lieu : Afrique australe
Description : herbivore quadrupède, qui possédait des plaques et des pointes dressées sur le cou, le dos et la queue.

PARARHABDODON (« semblable à dents cannelées »)
Groupe : ornithischiens, ornithopodes, iguanodons
Période : Crétacé supérieur
Taille et poids : 5 m de long, 1 tonne
Lieu : Espagne
Description : herbivore bipède et quadrupède, qui possédait un bec semblable à celui d'un canard et des dents broyeuses.

PARASAUROLOPHUS (« semblable à lézard à crête »)
Groupe : ornithischiens, ornithopodes, iguanodons
Période : Crétacé supérieur
Taille et poids : 9 m de long, 5 tonnes
Lieu : États-Unis et Canada
Description : herbivore bipède et quadrupède, doté d'un bec et d'une crête tubulaire arrondie sur la tête.

PARKSOSAURUS (« lézard de Parks »)
Groupe : ornithischiens, ornithopodes, hypsilophodontidés
Période : Crétacé supérieur
Taille et poids : 2,5 m de long, 60 kg
Lieu : Canada
Description : herbivore bipède, qui possédait un bec, des pattes postérieures grêles, des bras courts et des dents en forme de feuille.

PARVICURSOR (« petit coureur »)
Groupe : saurischiens, théropodes, cœlurosaures
Période : Crétacé supérieur
Taille et poids : 1 m de long, 3 kg
Lieu : Mongolie
Description : omnivore bipède à plumes, possédant une tête semblable à celle d'un oiseau.

PATAGONYKUS (« griffe patagonienne »)
Groupe : saurischiens, théropodes, cœlurosaures
Période : Crétacé supérieur
Taille et poids : 2 m de long, 6 kg
Lieu : Argentine
Description : omnivore bipède à plumes, qui possédait une tête semblable à celle d'un oiseau et des bras courts.

PATAGOSAURUS (« lézard patagonien »)
Groupe : saurischiens, sauropodomorphes, sauropodes
Période : Jurassique moyen
Taille et poids : 15 m de long, 9 tonnes
Lieu : Argentine
Description : herbivore quadrupède, à long cou et aux dents spatulées, qui ressemblait à Cetiosaurus.

PAWPAWSAURUS (« lézard de Paw Paw »)
Groupe : ornithischiens, thyréophores, ankylosaures
Période : Crétacé inférieur
Taille et poids : 5 m de long, 700 kg
Lieu : États-Unis
Description : herbivore quadrupède, aux cornes émoussées et au crâne cuirassé.

PEKINOSAURUS (« lézard de Pekin »)
Groupe : ornithischiens
Période : Jurassique supérieur
Taille et poids : 1 m de long, 4 kg
Lieu : États-Unis
Description : dinosaure bipède herbivore ou omnivore, dont on ne possède que des dents distinctives. Il ressemblait sans doute à Lesothosaurus.

PELECANIMIMUS (« qui imite un pélican »)
Groupe : saurischiens, théropodes, cœlurosaures
Période : Crétacé inférieur
Taille et poids : 2,5 m de long, 25 kg
Lieu : Espagne
Description : omnivore bipède, qui possédait un crâne allongé, environ 200 petites dents et de longs bras.

PELLEGRINISAURUS (« lézard du Pellegrini »)
Groupe : saurischiens, sauropodomorphes, sauropodes
Période : Crétacé supérieur
Taille et poids : 25 m de long, 20 tonnes
Lieu : Argentine
Description : gigantesque herbivore quadrupède, large de corps, à long cou et à longue queue flexible.

PELOROSAURUS (« lézard colossal »)
Groupe : saurischiens, sauropodomorphes, sauropodes
Période : Crétacé inférieur
Taille et poids : 16 m de long, 20 tonnes
Lieu : Angleterre, Portugal et France
Description : herbivore quadrupède à long cou, doté de pattes antérieures très longues et fines.

PENTACERATOPS (« face à cinq cornes »)
Groupe : ornithischiens, marginocéphales, cératopsiens
Période : Crétacé supérieur
Taille et poids : 7,5 m de long, 2,2 tonnes
Lieu : États-Unis
Description : grand herbivore quadrupède à collerette, qui possédait trois très longues cornes et un bec.

PHAEDROLOSAURUS (« dragon agile »)
Groupe : saurischiens, théropodes, cœlurosaures
Période : Crétacé inférieur
Taille et poids : 2 m de long, 15 kg
Lieu : Chine
Description : prédateur bipède semblable à un oiseau, doté de longs bras et de grosses griffes aux pieds.

PHUWIANGOSAURUS (« lézard de Phu Wiang »)
Groupe : saurischiens, sauropodomorphes, sauropodes
Période : Crétacé inférieur
Taille et poids : 15 m de long, 14 tonnes
Lieu : Thaïlande
Description : grand herbivore quadrupède, au corps trapu et au long cou.

PHYLLODON (« dent en forme de feuille »)
Groupe : ornithischiens, ornithopodes, hypsilophodontidés
Période : Jurassique supérieur
Taille et poids : 90 cm de long, 4 kg
Lieu : Portugal
Description : minuscule herbivore bipède, dont on ne possède que les dents en forme de feuille et qui était sans doute semblable à Hypsilophodon.

PIATNITZKYSAURUS (« lézard de Piatnitzky »)
Groupe : saurischiens, théropodes, spinosaures
Période : Jurassique moyen
Taille et poids : 5 m de long, 280 kg
Lieu : Argentine
Description : prédateur bipède, qui possédait des mains dotées de trois doigts et des cornes au-dessus des yeux.

PINACOSAURUS (« lézard planche »)
Groupe : ornithischiens, thyréophores, ankylosaures
Période : Crétacé supérieur
Taille et poids : 5 m de long, 700 kg
Lieu : Chine et Mongolie
Description : herbivore quadrupède cuirassé, au crâne carré et à la queue en massue.

PISANOSAURUS (« lézard de Pisano »)
Groupe : ornithischiens
Période : Trias supérieur
Taille et poids : 1 m de long, 7 kg
Lieu : Argentine
Description : herbivore bipède primitif, doté d'un bec et de bras courts.

PIVETEAUSAURUS (« lézard de Piveteau »)
Groupe : saurischiens, théropodes, et peut-être spinosaures
Période : Jurassique moyen
Taille et poids : 10 m de long, 2 tonnes
Lieu : France
Description : grand prédateur bipède, probablement semblable à Megalosaurus. On ne sait pas grand-chose à son sujet.

PLANICOXA (« os iliaque plat »)
Groupe : ornithischiens, ornithopodes, iguanodons
Période : Crétacé inférieur
Taille et poids : 7 m de long, 1,5 tonne
Lieu : États-Unis
Description : herbivore bipède et quadrupède.

PLATEOSAURUS (« lézard large »)
Groupe : saurischiens, sauropodomorphes, prosauropodes
Période : Trias supérieur
Taille et poids : 7 m de long, 800 kg
Lieu : Allemagne, Suisse et France
Description : herbivore bipède et quadrupède à long cou, qui possédait un pouce armé d'une grosse griffe et une longue queue.

PLEUROCOELUS (« à côtés creux »)
Groupe : saurischiens, sauropodomorphes, sauropodes
Période : Crétacé inférieur
Taille et poids : 13 m de long, 7 tonnes
Lieu : États-Unis
Description : herbivore quadrupède, à long cou et aux pattes antérieures longues et grêles.

POEKILOPLEURON (« à côtes variées »)
Groupe : saurischiens, théropodes, spinosaures
Période : Jurassique moyen
Taille et poids : 9 m de long, 1 tonne
Lieu : France
Description : prédateur bipède, à bras courts et aux dents recourbées vers l'arrière.

POLACANTHUS (« aux nombreuses épines »)
Groupe : ornithischiens, thyréophores, ankylosaures
Période : Crétacé inférieur
Taille et poids : 5 m de long, 800 kg

Lieu : Angleterre et Espagne
Description : herbivore quadrupède, qui possédait des pointes triangulaires sur la queue et des plaques sur le dos et les flancs.

PRENOCEPHALE (« tête de forme tombante »)
Groupe : ornithischiens, marginocéphales, pachycéphalosaures
Période : Crétacé supérieur
Taille et poids : 2 m de long, 35 kg
Lieu : Mongolie
Description : dinosaure bipède, qui pouvait être herbivore ou omnivore, au crâne en forme de dôme et aux bras courts.

PROBACTROSAURUS (« antérieur à lézard à massue »)
Groupe : ornithischiens, ornithopodes, iguanodons
Période : Crétacé supérieur
Taille et poids : 3,5 m de long, 180 kg
Lieu : Mongolie
Description : herbivore bipède et quadrupède, qui possédait un bec édenté semblable à celui d'un canard et des dents broyeuses.

PROCERATOSAURUS (« antérieur à lézard cornu »)
Groupe : saurischiens, théropodes, cœlurosaures
Période : Jurassique moyen
Taille et poids : 1,5 m de long, 5 kg
Lieu : Angleterre
Description : prédateur bipède, doté d'un crâne étroit, d'une corne sur le nez et de dents crénelées. C'est l'un des plus anciens cœlurosaures connus.

PROCOMPSOGNATHUS (« antérieur à mâchoire élégante »)
Groupe : saurischiens, théropodes, cœlophysoïdés
Période : Trias supérieur
Taille et poids : 1,2 m de long, 2 kg
Lieu : Allemagne
Description : petit prédateur bipède mince, qui possédait un crâne allongé, des dents acérées et des bras courts.

PROSAUROLOPHUS (« antérieur à lézard à crête »)
Groupe : ornithischiens, ornithopodes, iguanodons
Période : Crétacé supérieur
Taille et poids : 8 m de long, 3,2 tonnes
Lieu : Canada et États-Unis
Description : herbivore bipède et quadrupède, doté d'un bec semblable à celui d'un canard.

PROTARCHAEOPTERYX (« antérieur à aile ancienne »)
Groupe : saurischiens, théropodes, cœlurosaures
Période : Crétacé inférieur
Taille et poids : 1 m de long, 4 kg
Lieu : Chine
Description : petit dinosaure quadrupède à plumes, herbivore ou omnivore. Il possédait un crâne trapu, un bec et une queue courte.

PROTOCERATOPS (« premier à face cornue »)
Groupe : ornithischiens, marginocéphales, cératopsiens
Période : Crétacé supérieur
Taille et poids : 1,4 m de long, 24 kg
Lieu : Mongolie
Description : herbivore quadrupède, à bec étroit et à grande collerette.

PROTOGNATHOSAURUS (« premier lézard à mâchoire »)
Groupe : saurischiens, sauropodomorphes, sauropodes
Période : Jurassique inférieur
Taille et poids : 15 m de long, 12 tonnes
Lieu : Chine
Description : herbivore quadrupède à long cou, peut-être semblable à Cetiosaurus.

PROTOHADROS (« premier hadrosaure »)
Groupe : ornithischiens, ornithopodes, iguanodons
Période : Crétacé supérieur
Taille et poids : 7 m de long, 2,2 tonnes
Lieu : États-Unis
Description : herbivore bipède et quadrupède, doté d'un bec semblable à celui d'un canard et de dents broyeuses.

PSITTACOSAURUS (« lézard perroquet »)
Groupe : ornithischiens, marginocéphales, cératopsiens
Période : Crétacé supérieur
Taille et poids : 1,5 m de long, 12 kg
Lieu : Mongolie, Chine et Thaïlande
Description : herbivore bipède et quadrupède, qui

possédait un crâne semblable à celui d'un perroquet et des joues pointues.

PUKYONGOSAURUS (« lézard de Pukyong »)
Groupe : saurischiens, sauropodomorphes, sauropodes
Période : Crétacé inférieur
Taille et poids : 10 m de long, 8,5 tonnes
Lieu : Corée du Sud
Description : herbivore quadrupède à long cou, qui avait sans doute le museau aplati et des pattes postérieures grêles. On ne sait pas grand-chose à son sujet.

PYRORAPTOR (« voleur d'incendie »)
Groupe : saurischiens, théropodes, cœlurosaures
Période : Crétacé supérieur
Taille et poids : 2 m de long, 15 kg
Lieu : France
Description : prédateur bipède semblable à un oiseau, aux bras longs et aux pieds dotés d'une grosse griffe.

QANTASSAURUS (« lézard de Qantas »)
Groupe : ornithischiens, ornithopodes, hypsilophodontidés
Période : Crétacé inférieur
Taille et poids : 1,5 m de long, 10 kg
Lieu : Australie
Description : herbivore bipède qui possédait un bec, de petits bras, de longues pattes postérieures et une longue queue. Son crâne était plus court que celui des autres hypsilophodontidés.

QINLINGOSAURUS (« lézard des Qin Ling »)
Groupe : saurischiens, sauropodomorphes, sauropodes
Période : Crétacé supérieur
Taille et poids : 15 m de long, 12 tonnes
Lieu : Chine
Description : herbivore quadrupède à long cou, dont on ne possède que le bassin.

QUAESITOSAURUS (« lézard extraordinaire »)
Groupe : saurischiens, sauropodomorphes, sauropodes
Période : Crétacé supérieur
Taille et poids : 12 m de long, 10 tonnes
Lieu : Mongolie
Description : grand herbivore quadrupède, à long cou et aux dents en forme de crayon. On ne possède de lui que son crâne.

QUILMESAURUS (« lézard des Quilmes »)
Groupe : saurischiens, théropodes, et peut-être néocératosaures
Période : Crétacé supérieur
Taille et poids : 7,5 m de long, 1 tonne
Lieu : Argentine
Description : prédateur bipède dont on ne possède que les os des pattes postérieures, et probablement semblable à Abelisaurus.

RAPATOR (« pillard »)
Groupe : saurischiens, théropodes, cœlurosaures
Période : Crétacé inférieur
Taille et poids : 4 m de long, 140 kg
Lieu : Australie
Description : prédateur bipède dont on ne possède qu'un os de main. C'était peut-être un parent géant de Mononykus.

RAPETOSAURUS (« lézard Rapeto »)
Groupe : saurischiens, sauropodomorphes, sauropodes
Période : Crétacé supérieur
Taille et poids : 10 m de long, 8 tonnes
Lieu : Madagascar
Description : herbivore quadrupède, large de corps, au long cou et aux dents en forme de crayon.

RAYOSOSAURUS (« lézard de Rayoso »)
Groupe : saurischiens, sauropodomorphes, sauropodes
Période : Crétacé supérieur
Taille et poids : 20 m de long, 14 tonnes
Lieu : Argentine
Description : herbivore quadrupède, aux dents en forme de crayon, à long cou et à pattes grêles.

REBBACHISAURUS (« lézard des Rebbach »)
Groupe : saurischiens, sauropodomorphes, sauropodes
Période : Crétacé supérieur
Taille et poids : 20 m de long, 14 tonnes
Lieu : Afrique du Nord
Description : grand herbivore quadrupède à long cou, qui possédait une longue queue et une grande voile sur le dos.

REGNOSAURUS (« lézard des Regni »)
Groupe : ornithischiens, thyréophores, stégosaures
Période : Crétacé inférieur
Taille et poids : 4,5 m de long, 650 kg
Lieu : Angleterre
Description : herbivore quadrupède avec des plaques et des pointes sur le cou, le dos et la queue. On ne sait pas grand-chose à son sujet.

REVUELTOSAURUS (« lézard de Revuelto »)
Groupe : ornithischiens
Période : Jurassique supérieur
Taille et poids : 2,5 m de long, 25 kg
Lieu : États-Unis
Description : dinosaure bipède, dont on ne possède que de petites dents. Il ressemblait sans doute à Lesothosaurus et pouvait être herbivore ou omnivore.

RHABDODON (« dents cannelées »)
Groupe : ornithischiens, ornithopodes, iguanodons
Période : Crétacé supérieur
Taille et poids : 7 m de long, 1 tonne
Lieu : France, Espagne et Europe orientale
Description : herbivore bipède, doté d'un bec, probablement semblable à Tenontosaurus.

RHOETOSAURUS (« lézard Rhoetos »)
Groupe : saurischiens, sauropodomorphes, sauropodes
Période : Jurassique inférieur
Taille et poids : 12 m de long, 9 tonnes
Lieu : Australie
Description : herbivore quadrupède à long cou, doté de longues pattes robustes et de dents spatulées.

RICARDOESTESIA (« d'après Richard Estes »)
Groupe : saurischiens, théropodes, cœlurosaures
Période : Crétacé supérieur
Taille et poids : 1,5 m de long, 6 kg
Lieu : États-Unis et Canada
Description : prédateur bipède ressemblant à un oiseau, aux mâchoires étroites et aux dents pointues.

RIOJASAURUS (« lézard de La Rioja »)
Groupe : saurischiens, sauropodomorphes, prosauropodes
Période : Trias supérieur
Taille et poids : 10 m de long, 3 tonnes
Lieu : Argentine
Description : grand herbivore quadrupède à long cou, doté de pattes postérieures semblables à des colonnes.

ROCASAURUS (« lézard de Roca »)
Groupe : saurischiens, sauropodomorphes, sauropodes
Période : Crétacé supérieur
Taille et poids : 9 m de long, 4 tonnes
Lieu : Argentine
Description : herbivore quadrupède à long cou et à pattes semblables à des colonnes.

RUEHLEIA (« d'après Rühle »)
Groupe : saurischiens, sauropodomorphes, prosauropodes
Période : Trias supérieur
Taille et poids : 7 m de long, 800 kg
Lieu : Allemagne
Description : herbivore quadrupède à long cou et à longue queue, aux pouces dotés de grosses griffes.

SAICHANIA (« le beau »)
Groupe : ornithischiens, thyréophores, ankylosaures
Période : Crétacé supérieur
Taille et poids : 7 m de long, 1,4 tonne
Lieu : Mongolie
Description : herbivore quadrupède, qui possédait une queue en massue et des plaques sur le ventre ainsi que sur le dos. Il avait le crâne carré.

SALTASAURUS (« lézard de Salta »)
Groupe : saurischiens, sauropodomorphes, sauropodes
Période : Crétacé supérieur
Taille et poids : 12 m de long, 6 tonnes
Lieu : Argentine
Description : herbivore quadrupède à long cou, qui possédait un bassin large et des plaques sur le dos.

SANTANARAPTOR (« voleur de Santana »)
Groupe : saurischiens, théropodes, cœlurosaures
Période : Crétacé inférieur
Taille et poids : 2 m de long, 13 kg
Lieu : Brésil
Description : prédateur bipède, aux mains dotées de trois doigts. On ne sait pas grand-chose à son sujet.

SARCOLESTES (« voleur de chair »)
Groupe : ornithischiens, thyréophores, ankylosaures
Période : Jurassique moyen
Taille et poids : 3 m de long, 500 kg
Lieu : Angleterre
Description : herbivore quadrupède cuirassé, dont on ne possède qu'une mâchoire. Il avait les dents en forme de feuille.

SARCOSAURUS (« lézard [mangeur] de chair »)
Groupe : saurischiens, théropodes, néocératosaures
Période : Jurassique inférieur
Taille et poids : 3,5 m de long, 100 kg
Lieu : Angleterre
Description : prédateur bipède, probablement semblable à Ceratosaurus, mais en plus petit.

SATURNALIA (« carnaval »)
Groupe : saurischiens, sauropodomorphes
Période : Trias supérieur
Taille et poids : 1,5 m de long, 9 kg
Lieu : Brésil
Description : sauropodomorphe primitif, bipède et quadrupède. Omnivore, il possédait un long cou et un petit crâne pointu.

SAUROLOPHUS (« lézard à crête »)
Groupe : ornithischiens, ornithopodes, iguanodons
Période : Crétacé supérieur
Taille et poids : 13 m de long, 7 tonnes
Lieu : Canada et Mongolie
Description : herbivore bipède et quadrupède. Il possédait une crête en forme de pointe sur la tête, un bec édenté semblable à celui d'un canard et des dents broyeuses. C'était l'un des plus grands hadrosaures.

SAUROPELTA (« lézard à bouclier »)
Groupe : ornithischiens, thyréophores, ankylosaures
Période : Crétacé inférieur
Taille et poids : 5 m de long, 900 kg
Lieu : États-Unis
Description : herbivore quadrupède cuirassé, doté de pointes triangulaires sur le cou et les épaules.

SAUROPHAGANAX (« roi des mangeurs de reptiles »)
Groupe : saurischiens, théropodes, allosaures
Période : Jurassique supérieur
Taille et poids : 8 m de long, 3 tonnes
Lieu : États-Unis
Description : prédateur bipède semblable à Allosaurus. Il avait trois doigts aux mains.

SAUROPOSEIDON (« lézard Poséidon »)
Groupe : saurischiens, sauropodomorphes, sauropodes
Période : Crétacé inférieur
Taille et poids : 30 m de long, 55 tonnes
Lieu : États-Unis
Description : gigantesque herbivore quadrupède à long cou, qui ressemblait à Brachiosaurus.

SAURORNITHOIDES (« lézard semblable à un oiseau »)
Groupe : saurischiens, théropodes, cœlurosaures
Période : Crétacé supérieur
Taille et poids : 2 m de long, 15 kg
Lieu : Mongolie
Description : prédateur bipède à longues pattes, qui pouvait être carnivore ou omnivore.

SAURORNITHOLESTES (« voleur de lézards semblable à un oiseau »)
Groupe : saurischiens, théropodes, cœlurosaures
Période : Crétacé supérieur
Taille et poids : 1,5 m de long, 5 kg
Lieu : Canada
Description : prédateur bipède à queue rigide, qui ressemblait à Velociraptor.

SCANSORIOPTERYX (« aile grimpante »)
Groupe : saurischiens, théropodes, cœlurosaures
Période : Crétacé inférieur
Taille et poids : 20 cm de long, 70 g
Lieu : Chine
Description : minuscule prédateur bipède, aux longs bras et aux mains dotées d'un troisième doigt très long.

SCELIDOSAURUS (« lézard à membres »)
Groupe : ornithischiens, thyréophores, ankylosaures
Période : Jurassique inférieur
Taille et poids : 3 m de long, 64 kg
Lieu : Angleterre
Description : herbivore quadrupède qui possédait un bec et des plaques sur le dos et les flancs.

SCIPIONYX (« griffe de Scipion »)
Groupe : saurischiens, théropodes, cœlurosaures
Période : Crétacé inférieur
Taille et poids : 30 cm de long, 450 g
Lieu : Italie
Description : tout petit prédateur bipède, qui possédait un grand crâne, des dents acérées et des mains à trois doigts.

SCUTELLOSAURUS (« lézard à petit bouclier »)
Groupe : ornithischiens, thyréophores
Période : Jurassique inférieur
Taille et poids : 1,2 m de long, 17 kg
Lieu : États-Unis
Description : herbivore bipède et quadrupède, qui possédait une longue queue et des rangées de plaques protectrices sur le dos et les flancs.

SECERNOSAURUS (« lézard séparé »)
Groupe : ornithischiens, ornithopodes, iguanodons
Période : Crétacé supérieur
Taille et poids : 3 m de long, 450 kg
Lieu : Argentine
Description : herbivore bipède et quadrupède, au bec semblable à celui d'un canard et aux dents broyeuses.

SEGISAURUS (« lézard de Segi »)
Groupe : saurischiens, théropodes, cœlophysoïdés
Période : Jurassique inférieur
Taille et poids : 1,5 m de long, 7 kg
Lieu : États-Unis
Description : prédateur bipède, au corps mince et aux longues pattes.

SEGNOSAURUS (« lézard lent »)
Groupe : saurischiens, théropodes, cœlurosaures
Période : Crétacé supérieur
Taille et poids : 6,5 m de long, 400 kg
Lieu : Mongolie
Description : omnivore bipède à long cou, qui possédait de longues griffes aux mains, un ventre large et une queue courte.

SEISMOSAURUS (« lézard qui fait trembler la terre »)
Groupe : saurischiens, sauropodomorphes, sauropodes
Période : Jurassique supérieur
Taille et poids : 34 m de long, 30 tonnes
Lieu : États-Unis
Description : herbivore quadrupède géant, possédant un long cou, une longue queue et des dents en forme de crayon.

SELLOSAURUS (« lézard selle »)
Groupe : saurischiens, sauropodomorphes
Période : Trias supérieur
Taille et poids : 3 m de long, 85 kg
Lieu : Allemagne
Description : herbivore bipède et quadrupède à long cou, aux pouces dotés de grosses griffes.

SHAMOSAURUS (« lézard du désert »)
Groupe : ornithischiens, thyréophores, ankylosaures
Période : Crétacé supérieur
Taille et poids : 6 m de long, 1,3 tonne
Lieu : Mongolie
Description : herbivore quadrupède cuirassé, à bec étroit et à petites dents.

SHANTUNGOSAURUS (« lézard du Shangdong »)
Groupe : ornithischiens, ornithopodes, iguanodons
Période : Crétacé supérieur
Taille et poids : 17 m de long, 15 tonnes
Lieu : Chine
Description : grand herbivore, bipède et quadrupède, qui possédait un bec semblable à celui d'un canard et une mâchoire inférieure d'une taille exceptionnelle.

SHANXIA (« d'après Shanxi »)
Groupe : ornithischiens, thyréophores, ankylosaures
Période : Crétacé supérieur
Taille et poids : 5 m de long, 700 kg
Lieu : Chine
Description : herbivore quadrupède cuirassé qui possédait des cornes et un crâne large et plat.

SHANYANGOSAURUS (« lézard de Shanyang »)
Groupe : saurischiens, théropodes, cœlurosaures
Période : Crétacé supérieur
Taille et poids : 1,5 m de long, 11 kg
Lieu : Chine
Description : prédateur bipède semblable à un oiseau, peut-être semblable à Oviraptor.

SHUNOSAURUS (« lézard du Sichuan »)
Groupe : saurischiens, sauropodomorphes, sauropodes
Période : Jurassique moyen
Taille et poids : 9 m de long, 3 tonnes
Lieu : Chine
Description : herbivore quadrupède à petite tête, dont la longue queue se terminait par une massue hérissée de pointes.

SHUVOSAURUS (« lézard de Shuvo »)
Groupe : saurischiens, théropodes, coelophysoïdés
Période : Trias supérieur
Taille et poids : 3 m de long, 20 kg
Lieu : États-Unis
Description : dinosaure bipède édenté, probablement semblable à Coelophysis. Il pouvait être herbivore ou omnivore.

SHUVUUIA (« oiseau »)
Groupe : saurischiens, théropodes, cœlurosaures
Période : Crétacé supérieur
Taille et poids : 1 m de long, 3 kg
Lieu : Mongolie
Description : omnivore bipède à plumes, avec une tête semblable à celle d'un oiseau. Ses bras étaient courts et ses pouces se terminaient par d'énormes griffes.

SIAMOSAURUS (« lézard siamois »)
Groupe : saurischiens, théropodes, spinosaures
Période : Crétacé inférieur
Taille et poids : 8 m de long, 1 tonne
Lieu : Thaïlande
Description : prédateur bipède, dont on ne connaît que les dents, semblables à celles de Spinosaurus.

SIAMOTYRANNUS (« tyran siamois »)
Groupe : saurischiens, théropodes, cœlurosaures
Période : Crétacé inférieur
Taille et poids : 6 m de long, 700 kg
Lieu : Thaïlande
Description : prédateur bipède, dont on ne possède que le bassin et la queue. Il pourrait être un des premiers tyrannosaures.

SIGILMASSASAURUS (« lézard de Sijilmassa »)
Groupe : saurischiens, théropodes, et peut-être allosaures
Période : Crétacé inférieur
Taille et poids : 8 m de long, 3 tonnes
Lieu : Afrique du Nord
Description : grand prédateur bipède, qui possédait peut-être des bras grêles et un cou mince.

SILVISAURUS (« lézard des forêts »)
Groupe : ornithischiens, thyréophores, ankylosaures
Période : Crétacé inférieur
Taille et poids : 4 m de long, 400 kg
Lieu : États-Unis
Description : herbivore quadrupède cuirassé, qui possédait un bec et des pointes sur les flancs.

SINORNITHOIDES (« chinois semblable à un oiseau »)
Groupe : saurischiens, théropodes, cœlurosaures
Période : Crétacé inférieur
Taille et poids : 1 m de long, 5 kg
Lieu : Chine
Description : prédateur bipède à longues pattes, qui pouvait être carnivore ou omnivore. Son crâne était mince et son deuxième orteil était plus haut que les autres.

SINORNITHOSAURUS (« lézard chinois semblable à un oiseau »)
Groupe : saurischiens, théropodes, cœlurosaures
Période : Crétacé inférieur
Taille et poids : 1 m de long, 4 kg
Lieu : Chine
Description : prédateur bipède à plumes, semblable à un oiseau, qui possédait de longs bras, trois doigts aux mains et une queue rigide.

SINOSAUROPTERYX (« aile de lézard chinois »)
Groupe : saurischiens, théropodes, cœlurosaures
Période : Crétacé inférieur
Taille et poids : 1 m de long, 3 kg
Lieu : Chine
Description : petit prédateur bipède à bras courts, qui possédait des pouces armés de grosses griffes.

SINOVENATOR (« chasseur chinois »)
Groupe : saurischiens, théropodes, cœlurosaures
Période : Crétacé inférieur
Taille et poids : 1 m de long, 6 kg
Lieu : Chine
Description : petit prédateur bipède, aux pattes postérieures longues et fines et à la queue rigide. Il ressemblait à Troodon.

SINRAPTOR (« voleur chinois »)
Groupe : saurischiens, théropodes, allosaures
Période : Jurassique supérieur
Taille et poids : 7 m de long, 1 tonne
Lieu : Chine
Description : prédateur bipède, qui possédait un grand crâne, une crête basse sur le dos et trois doigts aux mains.

SONORASAURUS (« lézard de la Sonora »)
Groupe : saurischiens, sauropodomorphes, sauropodes
Période : Crétacé inférieur
Taille et poids : 15 m de long, 7 tonnes
Lieu : États-Unis
Description : herbivore quadrupède à long cou, et aux pattes antérieures longues et fines.

SPHAEROTHOLUS (« dôme sphérique »)
Groupe : ornithischiens, marginocéphales, pachycéphalosaures
Période : Crétacé supérieur
Taille et poids : 2 m de long, 35 kg
Lieu : États-Unis
Description : dinosaure bipède, qui pouvait être herbivore ou omnivore. Il possédait un crâne en forme de dôme et des bras courts.

SPINOSAURUS (« lézard à épines »)
Groupe : saurischiens, théropodes, spinosaures
Période : Crétacé supérieur
Taille et poids : 15 m de long, 4 tonnes
Lieu : Afrique du Nord
Description : prédateur géant bipède, dont le crâne ressemblait à celui d'un crocodile. Il possédait une grande voile sur le dos et se nourrissait probablement de poissons ainsi que d'autres dinosaures.

STAURIKOSAURUS (« lézard de la Croix du Sud »)
Groupe : saurischiens, herrérasauridés
Période : Trias supérieur
Taille et poids : 2 m de long, 14 kg
Lieu : Brésil
Description : prédateur bipède primitif, aux griffes acérées et aux dents recourbées vers l'arrière.

STEGOCERAS (« corne en forme de toit »)
Groupe : ornithischiens, marginocéphales, pachycéphalosaures
Période : Crétacé supérieur
Taille et poids : 2 m de long, 27 kg
Lieu : États-Unis et Canada
Description : herbivore bipède, qui possédait un bec, des bras courts et un crâne épais en forme de dôme.

STEGOPELTA (« bouclier couvert »)
Groupe : ornithischiens, thyréophores, ankylosaures
Période : Crétacé supérieur
Taille et poids : 6 m de long, 1,2 tonne
Lieu : États-Unis
Description : herbivore quadrupède cuirassé, à longue queue flexible, au bassin large et aux pattes courtes.

STEGOSAURUS (« lézard à plaques »)
Groupe : ornithischiens, thyréophores, stégosaures
Période : Jurassique supérieur
Taille et poids : 6,5 m de long, 2,2 tonnes
Lieu : États-Unis
Description : herbivore quadrupède, doté de pattes postérieures plus longues que les pattes antérieures. Il possédait des plaques en losange dressées sur le cou, le dos et la queue ainsi que des pointes au bout de la queue.

STENOPELIX (« bassin étroit »)
Groupe : ornithischiens, marginocéphales, pachycéphalosaures
Période : Crétacé inférieur
Taille et poids : 1,5 m de long, 20 kg
Lieu : Allemagne
Description : herbivore bipède, à hanches larges, à queue rigide et à bras courts. On n'en a pas retrouvé de crâne.

STOKESOSAURUS (« lézard de Stokes »)
Groupe : saurischiens, théropodes, cœlurosaures
Période : Jurassique supérieur
Taille et poids : 4 m de long, 80 kg
Lieu : États-Unis
Description : prédateur bipède à museau trapu, qui était sans doute une forme primitive de tyrannosaure.

STRUTHIOMIMUS (« qui imite une autruche »)
Groupe : saurischiens, théropodes, cœlurosaures
Période : Crétacé supérieur
Taille et poids : 4 m de long, 160 kg
Lieu : Canada
Description : omnivore bipède véloce. Il avait un bec édenté, un long cou et des bras longs et grêles, aux mains dotées de trois doigts. Son tibia était plus long que le fémur.

STRUTHIOSAURUS (« lézard autruche »)
Groupe : ornithischiens, thyréophores, ankylosaures
Période : Crétacé supérieur
Taille et poids : 2 m de long, 40 kg
Lieu : Europe orientale
Description : herbivore quadrupède cuirassé, doté de pointes sur le cou, le dos et la queue. On ne sait pas grand-chose à son sujet.

STYGIMOLOCH (« démon de Hell Creek »)
Groupe : ornithischiens, marginocéphales, pachycéphalosaures
Période : Crétacé supérieur
Taille et poids : 2 m de long, 35 kg
Lieu : États-Unis
Description : herbivore bipède, au crâne en forme de dôme armé de pointes, doté d'un bec et d'un corps large.

STYRACOSAURUS (« lézard à pointes »)
Groupe : ornithischiens, marginocéphales, cératopsiens
Période : Crétacé supérieur
Taille et poids : 5,5 m de long, 900 kg
Lieu : Canada
Description : herbivore quadrupède, à bec édenté. Il possédait sur le nez une grosse corne tournée vers le haut et de longues pointes sur les bords de sa collerette.

SUCHOMIMUS (« qui imite un crocodile »)
Groupe : saurischiens, théropodes, spinosaures
Période : Crétacé inférieur
Taille et poids : 11 m de long, 3,8 tonnes
Lieu : Afrique du Nord
Description : grand prédateur bipède, aux pouces armés de grandes griffes. Il avait un crâne extrêmement long, semblable à celui d'un crocodile, et une arête sur le dos.

SUPERSAURUS (« superlézard »)
Groupe : saurischiens, sauropodomorphes, sauropodes
Période : Jurassique supérieur
Taille et poids : 45 m de long, 50 tonnes
Lieu : États-Unis
Description : herbivore quadrupède géant, à long cou, doté de dents en forme de crayon et d'une longue queue.

SYNTARSUS (« tarse fusionné »)
Groupe : saurischiens, théropodes, coelophysoïdés
Période : Jurassique inférieur
Taille et poids : 2 m de long, 15 kg
Lieu : Afrique australe, États-Unis et pays de Galles
Description : prédateur à crâne étroit et à longue queue, dont les dents lui permettaient d'attraper des proies de toutes les tailles. Il avait sur la tête deux crêtes semblables à celles de Dilophosaurus.

SZECHUANOSAURUS (« lézard du Sichuan »)
Groupe : saurischiens, théropodes, allosaures
Période : Jurassique supérieur
Taille et poids : 4 m de long, 130 kg
Lieu : Chine
Description : prédateur bipède qui était peut-être semblable à Sinraptor.

TALARURUS (« queue d'osier »)
Groupe : ornithischiens, thyréophores, ankylosaures
Période : Crétacé supérieur
Taille et poids : 5 m de long, 700 kg
Lieu : Mongolie
Description : herbivore quadrupède, qui possédait un crâne étroit, un bec, de petites dents et une queue en massue.

TANGVAYOSAURUS (« lézard de Tang Vay »)
Groupe : saurischiens, sauropodomorphes, sauropodes
Période : Crétacé inférieur
Taille et poids : 15 m de long, 13 tonnes
Lieu : Laos
Description : titanosaure primitif quadrupède. Il était herbivore et possédait un long cou et des pattes robustes en forme de colonnes.

TANIUS (« d'après Tan »)
Groupe : ornithischiens, ornithopodes, iguanodons
Période : Crétacé supérieur
Taille et poids : 6 m de long, 1,5 tonne
Lieu : Chine
Description : herbivore bipède et quadrupède, à la tête plate, doté d'un bec semblable à celui d'un canard et de dents broyeuses.

TARASCOSAURUS (« lézard de Tarasque »)
Groupe : saurischiens, théropodes, néocératosaures
Période : Crétacé supérieur
Taille et poids : 5,5 m de long, 370 kg
Lieu : France
Description : prédateur bipède, qui ressemblait peut-être à Carnotaurus. On ne sait pas grand-chose à son sujet.

TARBOSAURUS (« lézard terrible »)
Groupe : saurischiens, théropodes, cœlurosaures
Période : Crétacé supérieur
Taille et poids : 10 m de long, 5 tonnes
Lieu : Mongolie
Description : prédateur géant bipède, au crâne très gros. Il possédait des pattes postérieures puissantes et de petits bras aux mains dotées de deux doigts. C'est le plus grand prédateur asiatique que l'on connaisse. Peut-être était-ce le même animal que Tyrannosaurus.

TARCHIA (« le cerveau »)
Groupe : ornithischiens, thyréophores, ankylosaures
Période : Crétacé supérieur
Taille et poids : 8 m de long, 2,3 tonnes
Lieu : Mongolie
Description : herbivore quadrupède cuirassé, à bec large, à pattes courtes et à queue en massue.

TATISAURUS (« lézard de Ta-ti »)
Groupe : ornithischiens, thyréophores, ankylosaures
Période : Jurassique inférieur
Taille et poids : 1,5 m de long, 20 kg
Lieu : Chine
Description : petit herbivore quadrupède, peut-être le même animal que Scelidosaurus.

TAVEIROSAURUS (« lézard de Taveiro »)
Groupe : ornithischiens, peut-être thyréophores et peut-être ankylosaures
Période : Crétacé supérieur
Taille et poids : 90 cm de long, 5 kg
Lieu : Portugal, Espagne et France
Description : petit herbivore, dont on ne possède que les dents. Il était peut-être cuirassé et quadrupède.

TECHNOSAURUS (« lézard de Texas Tech »)
Groupe : ornithischiens
Période : Trias supérieur
Taille et poids : 1 m de long, 4 kg
Lieu : États-Unis
Description : petit herbivore bipède doté d'un bec, de pattes postérieures longues et fines et de courtes pattes antérieures.

TECOVASAURUS (« lézard de Tecovas »)
Groupe : ornithischiens
Période : Jurassique supérieur
Taille et poids : 1 m de long, 4 kg
Lieu : États-Unis
Description : dinosaure bipède, dont on ne possède que les dents. Il pouvait être herbivore ou omnivore et ressemblait peut-être à Lesothosaurus.

TEHUELCHESAURUS (« lézard des Tehuelche »)
Groupe : saurischiens, sauropodomorphes, sauropodes
Période : Jurassique moyen

Taille et poids : 15 m de long, 7 tonnes
Lieu : Argentine
Description : herbivore quadrupède à long cou, doté de pattes robustes semblables à des colonnes.

TELMATOSAURUS (« lézard des marais »)
Groupe : ornithischiens, ornithopodes, iguanodons
Période : Crétacé supérieur
Taille et poids : 5 m de long, 1 tonne
Lieu : Roumanie, France et Espagne
Description : hadrosaure primitif bipède et quadrupède. Il était herbivore et possédait un bec semblable à celui d'un canard.

TENDAGURIA (« d'après Tendaguru »)
Groupe : saurischiens, sauropodomorphes, sauropodes
Période : Jurassique supérieur
Taille et poids : 20 m de long, 15 tonnes
Lieu : Afrique orientale
Description : grand herbivore quadrupède à long cou, dont on ne possède que les vertèbres du dos.

TENONTOSAURUS (« lézard à tendons »)
Groupe : ornithischiens, ornithopodes, iguanodons
Période : Crétacé inférieur
Taille et poids : 4,5 m de long, 240 kg
Lieu : États-Unis
Description : iguanodon primitif quadrupède, doté d'une queue extrêmement longue. Il était herbivore et possédait un bec, de gros yeux et cinq doigts aux mains.

TEXASETES (« habitant du Texas »)
Groupe : ornithischiens, thyréophores, ankylosaures
Période : Crétacé inférieur
Taille et poids : 5 m de long, 700 kg
Lieu : États-Unis
Description : herbivore quadrupède revêtu de plaques dures sur le cou, le dos et la queue.

TEYUWASU (« gros lézard »)
Groupe : saurischiens, et peut-être théropodes
Période : Trias supérieur
Taille et poids : 3 m de long, 20 kg
Lieu : Brésil
Description : prédateur bipède dont on ne possède que les os des pattes postérieures. Il ressemblait peut-être à Coelophysis.

THECODONTOSAURUS (« lézard avec dents à alvéoles »)
Groupe : saurischiens, sauropodomorphes
Période : Trias supérieur
Taille et poids : 2,5 m de long, 24 kg
Lieu : Angleterre et pays de Galles
Description : dinosaure bipède omnivore. Il possédait des dents en forme de feuille, un crâne épais et une longue queue. Il avait le cou plus court que les autres sauropodomorphes.

THERIZINOSAURUS (« lézard moissonneur »)
Groupe : saurischiens, théropodes, cœlurosaures
Période : Crétacé supérieur
Taille et poids : 10 m de long, 6 tonnes
Lieu : Mongolie
Description : grand herbivore bipède à long cou et aux dents minuscules en forme de feuille. Ses longues pattes antérieures étaient armées d'énormes griffes plus longues que celles de tout autre dinosaure.

THESCELOSAURUS (« lézard surprenant »)
Groupe : ornithischiens, ornithopodes, et peut-être hypsilophodontidés
Période : Crétacé supérieur
Taille et poids : 3,5 m de long, 60 kg
Lieu : États-Unis et Canada
Description : herbivore bipède, qui possédait un bec, un corps volumineux et une queue rigide. Ses mains courtes étaient dotées de cinq doigts.

TIANCHIASAURUS (« lézard du Lac céleste »)
Groupe : ornithischiens, thyréophores, ankylosaures
Période : Jurassique moyen
Taille et poids : 5 m de long, 700 kg
Lieu : Chine
Description : herbivore quadrupède cuirassé de plaques sur le cou, le dos et la queue. Il avait de courtes pattes et un large corps.

TIANZHENOSAURUS (« lézard du Tianzhen »)
Groupe : ornithischiens, thyréophores, ankylosaures
Période : Crétacé supérieur
Taille et poids : 3 m de long, 70 kg

Lieu : Chine
Description : herbivore quadrupède, avec un large crâne doté de cornes. Son cou, son dos et sa queue étaient revêtus de plaques.

TIENSHANOSAURUS (« lézard des Montagnes célestes »)
Groupe : saurischiens, sauropodomorphes, sauropodes
Période : Jurassique supérieur
Taille et poids : 10 m de long, 8 tonnes
Lieu : Chine
Description : herbivore quadrupède à queue et cou longs, à grand corps et à pattes fines semblables à des colonnes. De petite taille par rapport aux autres sauropodes.

TIMIMUS (« ornithomimidé de Tim »)
Groupe : saurischiens, théropodes, cœlurosaures
Période : Crétacé inférieur
Taille et poids : 3 m de long, 130 kg
Lieu : Australie
Description : dinosaure bipède dont on ne possède qu'un os de patte postérieure. Soit herbivore soit omnivore, il ressemblait peut-être à Ornithomimus.

TITANOSAURUS (« lézard Titan »)
Groupe : saurischiens, sauropodomorphes, sauropodes
Période : Crétacé supérieur
Taille et poids : 18 m de long, 11 tonnes
Lieu : Inde, Espagne et Argentine
Description : grand herbivore quadrupède à long cou, qui possédait des pattes en forme de colonnes, un corps lourd et une petite tête. Il avait le dos revêtu de plaques protectrices.

TOCHISAURUS (« lézard autruche »)
Groupe : saurischiens, théropodes, cœlurosaures
Période : Crétacé supérieur
Taille et poids : 1 m de long, 5 kg
Lieu : Chine
Description : prédateur bipède de petite taille, qui possédait des pattes postérieures longues et fines, dotées d'un deuxième orteil plus haut que les autres. On ne sait pas grand-chose à son sujet.

TOROSAURUS (« lézard perforé »)
Groupe : ornithischiens, marginocéphales, cératopsiens
Période : Crétacé supérieur
Taille et poids : 7,6 m de long, 2,7 tonnes
Lieu : États-Unis
Description : cératopsien géant quadrupède et herbivore, doté d'un crâne énorme qui représentait la moitié de la longueur de son corps, queue exclue. Il possédait un bec, une collerette et trois cornes sur la face.

TORVOSAURUS (« lézard cruel »)
Groupe : saurischiens, théropodes, spinosaures
Période : Jurassique supérieur
Taille et poids : 9 m de long, 2 tonnes
Lieu : États-Unis
Description : prédateur bipède, doté de bras courts et robustes, de pattes postérieures puissantes et de dents acérées recourbées vers l'arrière.

TRICERATOPS (« face à trois cornes »)
Groupe : ornithischiens, marginocéphales, cératopsiens
Période : Crétacé supérieur
Taille et poids : 8 m de long, 3 tonnes
Lieu : États-Unis et Canada
Description : herbivore quadrupède, qui possédait trois cornes sur la face, une collerette et un bec proéminent semblable à celui d'un perroquet. C'était le plus grand de tous les cératopsiens.

TRIMUCRODON (« dent à trois pointes »)
Groupe : ornithischiens, et probablement hétérodontosauridés
Période : Jurassique supérieur
Taille et poids : 1 m de long, 5 kg
Lieu : Portugal
Description : petit herbivore dont on ne possède que les dents. Il était peut-être semblable à Heterodontosaurus.

TROODON (« dent blessante »)
Groupe : saurischiens, théropodes, cœlurosaures
Période : Crétacé supérieur
Taille et poids : 3 m de long, 45 kg
Lieu : États-Unis et Canada
Description : prédateur bipède à longues pattes, qui pouvait être carnivore ou omnivore. Il avait le crâne étroit, des dents acérées et de longues mâchoires fines. Le deuxième orteil de ses pattes postérieures était plus haut que les autres.

TSAGANTEGIA (« d'après Tsagan-Teg »)
Groupe : ornithischiens, thyréophores, ankylosaures
Période : Crétacé supérieur
Taille et poids : 6 m de long, 1,3 tonne
Lieu : Mongolie
Description : herbivore cuirassé quadrupède, qui possédait un crâne carré, un bec étroit et de petites dents.

TSINTAOSAURUS (« lézard de Qindao »)
Groupe : ornithischiens, ornithopodes, iguanodons
Période : Crétacé supérieur
Taille et poids : 9 m de long, 4,5 tonnes
Lieu : Chine
Description : herbivore bipède et quadrupède qui possédait, sur la tête, une crête en forme de pointe tournée vers l'avant. Il avait un bec semblable à celui d'un canard et des dents broyeuses.

TUOJIANGOSAURUS (« lézard de la rivière Tuo »)
Groupe : ornithischiens, thyréophores, stégosaures
Période : Jurassique supérieur
Taille et poids : 7 m de long, 2,5 tonnes
Lieu : Chine
Description : herbivore quadrupède, qui possédait des plaques sur le cou, le dos et la queue, laquelle était dotée de deux paires de pointes. Il avait une petite tête basse et un bec édenté.

TURANOCERATOPS (« face cornue touranienne »)
Groupe : ornithischiens, marginocéphales, cératopsiens
Période : Crétacé supérieur
Taille et poids : 5 m de long, 1 tonne
Lieu : Ouzbékistan
Description : herbivore quadrupède, doté d'un bec, d'une collerette et de cornes au-dessus des yeux.

TYLOCEPHALE (« tête à renflement »)
Groupe : ornithischiens, marginocéphales, pachycéphalosaures
Période : Crétacé supérieur
Taille et poids : 2,5 m de long, 52 kg
Lieu : Mongolie
Description : herbivore bipède à crâne épais.

TYRANNOSAURUS (« lézard tyran »)
Groupe : saurischiens, théropodes, cœlurosaures
Période : Crétacé supérieur
Taille et poids : 11 m de long, 6 tonnes
Lieu : États-Unis et Canada
Description : grand prédateur bipède, aux bras courts se terminant par de petites mains à deux doigts. Il avait un crâne énorme, des mâchoires puissantes et des dents acérées.

UDANOCERATOPS (« face cornue d'Udan »)
Groupe : ornithischiens, marginocéphales, cératopsiens
Période : Crétacé supérieur
Taille et poids : 4 m de long, 750 kg
Lieu : Mongolie
Description : herbivore quadrupède, doté d'un bec, d'une collerette et d'un museau étroit.

UNENLAGIA (« demi-oiseau »)
Groupe : saurischiens, théropodes
Période : Crétacé supérieur
Taille et poids : 3 m de long, 50 kg
Lieu : Argentine
Description : prédateur bipède semblable à un oiseau, doté de longs bras. Il ressemblait peut-être à Deinonychus.

UNQUILLOSAURUS (« lézard de l'Unquillo »)
Groupe : saurischiens, théropodes, et peut-être cœlurosaures
Période : Crétacé supérieur
Taille et poids : 6 m de long, 700 kg
Lieu : Argentine
Description : grand prédateur bipède, dont on ne possède qu'un os du bassin.

UTAHRAPTOR (« voleur de l'Utah »)
Groupe : saurischiens, théropodes, cœlurosaures
Période : Crétacé inférieur
Taille et poids : 7 m de long, 450 kg
Lieu : États-Unis
Description : grand prédateur bipède, dont le deuxième orteil était armé d'une grande griffe recourbée.

VALDORAPTOR (« voleur de Wealden »)
Groupe : saurischiens, théropodes, allosaures
Période : Crétacé inférieur
Taille et poids : 6 m de long, 700 kg
Lieu : Angleterre
Description : prédateur bipède, dont on ne possède que les os des pieds. Il était peut-être semblable à Neovenator.

VALDOSAURUS (« lézard de Wealden »)
Groupe : ornithischiens, ornithopodes, iguanodons
Période : Crétacé inférieur
Taille et poids : 4 m de long, 140 kg
Lieu : Angleterre, Roumanie et Afrique du Nord
Description : herbivore bipède, au bec édenté, aux bras courts et aux pieds dotés de trois doigts.

VARIRAPTOR (« voleur du Var »)
Groupe : saurischiens, théropodes, cœlurosaures
Période : Crétacé supérieur
Taille et poids : 2 m de long, 15 kg
Lieu : France
Description : prédateur bipède semblable à un oiseau, doté de longs bras et de pieds armés de grandes griffes.

VELOCIRAPTOR (« voleur véloce »)
Groupe : saurischiens, théropodes, cœlurosaures
Période : Crétacé supérieur
Taille et poids : 2 m de long, 15 kg
Lieu : Mongolie
Description : prédateur bipède semblable à un oiseau, à longs bras, dont le deuxième orteil était armé d'une longue griffe.

VELOCISAURUS (« lézard véloce »)
Groupe : saurischiens, théropodes, néocératosaures
Période : Crétacé supérieur
Taille et poids : 1,5 m de long, 8 kg
Lieu : Argentine
Description : petit prédateur bipède doté de longues pattes postérieures fines, qui avait sans doute les bras courts.

VENENOSAURUS (« lézard toxique »)
Groupe : saurischiens, sauropodomorphes, sauropodes
Période : Crétacé inférieur
Taille et poids : 13 m de long, 7 tonnes
Lieu : États-Unis
Description : herbivore quadrupède à long cou, doté d'une queue courte et de longues pattes antérieures.

VOLKHEIMERIA (« d'après Volkheimer »)
Groupe : saurischiens, sauropodomorphes, sauropodes
Période : Jurassique moyen
Taille et poids : 16 m de long, 20 tonnes
Lieu : Argentine
Description : herbivore quadrupède à long cou, probablement semblable à Brachiosaurus.

VULCANODON (« dent de volcan »)
Groupe : saurischiens, sauropodomorphes, sauropodes
Période : Jurassique inférieur
Taille et poids : 6,5 m de long, 2 tonnes
Lieu : Afrique australe
Description : herbivore quadrupède à long cou, dont les genoux et les chevilles étaient plus souples que ceux des sauropodes postérieurs.

WAKINOSAURUS (« lézard de Wakino »)
Groupe : théropodes, et peut-être allosaures
Période : Crétacé inférieur
Taille et poids : inconnu
Lieu : Japon
Description : dinosaure carnivore, dont on ne possède qu'une dent.

WANNANOSAURUS (« lézard de la Wan méridionale »)
Groupe : ornithischiens, marginocéphales, pachycéphalosaures
Période : Crétacé supérieur
Taille et poids : 1 m de long, 9 kg
Lieu : Chine
Description : herbivore à bec, doté d'un corps large. Le sommet de son crâne était plat et épais.

WUERHOSAURUS (« lézard du Wuerho »)
Groupe : ornithischiens, thyréophores, stégosaures
Période : Crétacé inférieur
Taille et poids : 4,5 m de long, 650 kg
Lieu : Chine
Description : herbivore quadrupède, doté de plaques dressées le long du cou, du dos et de la queue.

XENOTARSOSAURUS (« lézard à tarse étrange »)
Groupe : saurischiens, théropodes, néocératosaures
Période : Crétacé supérieur
Taille et poids : 5,5 m de long, 370 kg
Lieu : Argentine
Description : grand prédateur bipède à longues pattes, qui possédait probablement des bras courts.

XUANHANOSAURUS (« lézard du Xuanhan »)
Groupe : saurischiens, théropodes, et peut-être spinosaures
Période : Jurassique moyen
Taille et poids : 6 m de long, 700 kg
Lieu : Chine
Description : prédateur bipède de taille moyenne à queue rigide. On pense que ses bras étaient plus longs et plus puissants que ceux des autres spinosaures.

YANDUSAURUS (« lézard de la Capitale du sel »)
Groupe : ornithischiens, ornithopodes, hypsilophodontidés
Période : Jurassique moyen
Taille et poids : 1,5 m de long, 10 kg
Lieu : Chine
Description : petit herbivore bipède, au crâne court, avec de gros yeux et un bec étroit.

YANGCHUANOSAURUS (« lézard du Yangchuan »)
Groupe : saurischiens, théropodes, allosaures
Période : Jurassique supérieur
Taille et poids : 10 m de long, 3,5 tonnes
Lieu : Chine
Description : grand prédateur bipède, dont la tête portait des arêtes et des cornes.

YAVERLANDIA (« d'après Yaverland »)
Groupe : ornithischiens, marginocéphales, pachycéphalosaures
Période : Crétacé inférieur
Taille et poids : 90 cm de long, 7 kg
Lieu : Angleterre
Description : herbivore bipède de petite taille, qui est un des premiers pachycéphalosaures. On ne possède que le sommet de son crâne, qui était épais et plat.

YIMENOSAURUS (« lézard du Yimen »)
Groupe : saurischiens, sauropodomorphes, prosauropodes
Période : Jurassique inférieur
Taille et poids : 9 m de long, 3 tonnes
Lieu : Chine
Description : herbivore bipède et quadrupède, à long cou, doté d'un crâne trapu et de dents spatulées.

YUNNANOSAURUS (« lézard du Yunnan »)
Groupe : saurischiens, sauropodomorphes, prosauropodes
Période : Jurassique inférieur
Taille et poids : 7 m de long, 1 tonne
Lieu : Chine
Description : herbivore quadrupède à long cou, doté d'un corps trapu et d'un museau tombant.

ZEPHYROSAURUS (« lézard du Zephyr »)
Groupe : ornithischiens, ornithopodes, hypsilophodontidés
Période : Crétacé inférieur
Taille et poids : 1,8 m de long, 15 kg
Lieu : États-Unis
Description : herbivore bipède à long cou, à longues pattes postérieures et à bras courts. Il avait le crâne trapu et de gros yeux.

ZIZHONGOSAURUS (« lézard du Zizhong »)
Groupe : saurischiens, sauropodomorphes, sauropodes
Période : Jurassique inférieur
Taille et poids : 9 m de long, 450 kg
Lieu : Chine
Description : petit sauropode primitif. C'était un herbivore quadrupède à long cou, au corps corpulent et aux longues pattes antérieures.

ZUNICERATOPS (« face cornue des Zunis »)
Groupe : ornithischiens, marginocéphales, cératopsiens
Période : Crétacé supérieur
Taille et poids : 4 m de long, 750 kg
Lieu : États-Unis
Description : cératopsien primitif herbivore et quadrupède, doté d'une grande collerette et de longues cornes au-dessus des yeux.

Glossaire

Tu trouveras ici l'explication de certains termes difficiles sur les dinosaures. Les mots en italique sont expliqués ailleurs dans le glossaire.

abélisaures Groupe de *théropodes*, qui a été découvert en Inde et en Amérique du Sud. Certains d'entre eux possédaient de grosses cornes sur la tête.

adaptation Manière dont une espèce végétale ou animale évolue dans le temps pour survivre dans son environnement.

ADN (acide désoxyribonucléique) Constituant chimique extrêmement complexe qui est présent dans toutes les espèces vivantes. L'ADN contient une foule d'informations sur la manière dont fonctionnent les espèces vivantes.

allosaures Groupe de *théropodes*. Les allosaures sont apparus au *Jurassique* et ils vont disparaître avant la fin du *Crétacé*. Un grand nombre d'allosaures possédaient des cornes ou bien une crête sur la tête.

amphibiens Groupe d'animaux à peau nue qui vivent à la fois sur la terre et dans l'eau. Les grenouilles sont une sorte d'amphibien.

animal préhistorique Animal qui existait avant l'apparition des êtres humains.

animal primitif Forme ancienne d'une *espèce* donnée d'animal, dépourvue de certaines des caractéristiques qui apparaîtront chez les espèces ultérieures du même groupe.

ankylosaures Groupe d'*ornithischiens* quadrupèdes. C'étaient des *herbivores* dont le corps était couvert de plaques osseuses protectrices et de pointes.

archosaures Groupe de reptiles comprenant les dinosaures et les *ptérosaures*. Les premiers archosaures étaient des animaux semblables à des crocodiles ; ils sont apparus il y a environ 250 millions d'années.

astéroïde Gros morceau de roche et de métal présent dans l'espace. De temps en temps, un astéroïde s'écrase sur la Terre. Selon les scientifiques, un tel phénomène a provoqué, à la fin du *Crétacé*, l'*extinction* des dinosaures.

atmosphère Couche de gaz qui entoure une planète ou une étoile. La Terre a une atmosphère.

badland Région rocheuse dénudée, constamment érodée par le vent et la pluie.

bipède Qui se déplace sur deux pieds.

brachiosaures Groupe de *sauropodes* dont les pattes antérieures étaient plus longues que les postérieures.

broussailles Végétation d'arbustes, de buissons et de plantes.

cage thoracique La structure osseuse en forme de cage qui protège les organes internes.

carcharodontosauridés Groupe de grands *théropodes* découverts en Afrique et en Amérique du Sud.

carnivore Animal qui se nourrit seulement de viande.

carrière Lieu d'extraction de pierres ou de *fossiles*.

cératopsiens Groupe d'*ornithischiens*, dont la plupart étaient *quadrupèdes* et possédaient une collerette osseuse à l'arrière du crâne et des cornes sur la face. Ils étaient *herbivores*.

cercle polaire antarctique Ligne imaginaire, parallèle à l'*équateur*. La région située au sud de cette ligne s'appelle l'Antarctique et comprend le pôle Sud.

chaîne de plissement Chaîne de montagnes qui se forme quand deux *plaques* se heurtent et que la *croûte* se plisse.

cheminée de fées Formation rocheuse naturelle causée par le vent et la pluie.

climat Conditions météorologiques particulières à une région.

cloner Faire une copie exacte d'un animal à l'aide de son *ADN*.

coelophysoïdés Groupe de *théropodes* de taille petite à moyenne. Ils vivaient au début du *Mésozoïque*.

cœlurosaures Groupe de *théropodes* étroitement apparenté aux oiseaux.

continent Une des grandes étendues de terre entourée d'océans.

coprolithe Excrément fossilisé.

cratère Dépression produite par l'impact d'une roche provenant de l'espace, tel un *astéroïde*.

Crétacé Période s'étendant de -144 à - 65 millions d'années. Les dinosaures et de nombreux autres groupes d'animaux ont disparu à la fin du Crétacé.

crête Excroissance surmontant la tête d'un animal.

croûte Couche dure et rigide qui entoure la Terre et qui, avec la partie supérieure du *manteau*, se compose de *plaques*.

crue subite Crue soudaine et violente, qui se produit en général après des pluies torrentielles.

dinosaure-oiseau Autre nom des oiseaux. Les oiseaux descendent des dinosaures. Cela veut dire que d'un point de vue scientifique ils sont en fait un type de dinosaure.

dromaeosaures Groupe de *théropodes* féroces, armés de griffes extrêmement longues et acérées. Ces dinosaures sont étroitement apparentés aux oiseaux.

dune Monticule ou crête de sable poussé par le vent.

équateur Ligne imaginaire encerclant le globe terrestre, exactement à mi-chemin entre les pôles.

ère C'est la plus grande division des temps géologiques. Les ères sont au nombre de cinq : l'ère précambrienne, l'ère primaire, ou Paléozoïque, l'ère secondaire, ou *Mésozoïque*, l'ère tertiaire, ou Cénozoïque, et l'ère quaternaire. Chaque ère est à son tour subdivisée en périodes, époques et âges.

érosion Usure des roches et du sol sous l'action des mers et des rivières, des intempéries, ainsi que des végétaux et des animaux.

espèce Type de végétal ou d'animal ou d'autre organisme vivant. Les individus d'une même espèce (animale ou végétale) ont de nombreux caractères communs. Ils peuvent se reproduire entre eux et donner naissance à des petits féconds.

évolution Transformation progressive des *espèces* qui s'adaptent à leur environnement. Cette transformation se fait par petites étapes.

extinction Disparition d'une *espèce* animale ou végétale dans sa totalité, qui se produit en général très lentement au cours de millions d'années.

faille Fracture de la *croûte* terrestre.

fosse Vallée profonde qui se forme quand une *plaque tectonique* s'enfonce sous une autre.

fossile Vestige ou trace d'un végétal ou d'un animal préservés dans la roche.

fouille Action de creuser pour dégager des objets enfouis.

géologue Scientifique qui étudie la structure de la Terre et sa composition.

Gondwana Vaste *continent* qui couvrait l'hémisphère sud au *Jurassique*. Les continents modernes qui composaient autrefois le Gondwana sont l'Amérique du Sud, l'Afrique, l'Inde, l'Australie et l'Antarctique.

hadrosaures Groupe d'*ornithopodes*. *Herbivores*, ils étaient très répandus au *Crétacé*. Un grand nombre d'entre eux arboraient une *crête* sur la tête.

herbivore Animal qui se nourrit exclusivement de végétaux.

hétérodontosauridés Groupe de petits *ornithischiens* qui vivaient du début du *Jurassique* au début du *Crétacé*.

hypsilophodontidés Groupe de petits *ornithopodes*.

ichtyosaures Reptiles marins qui vivaient au *Mésozoïque*.

iguanodons Groupe d'*ornithopodes* végétariens. De nombreux iguanodons possédaient des pouces dotés d'une pointe acérée.

image satellite Photographie prise de l'espace.

Jurassique Période qui s'étend de - 208 à - 144 millions d'années.

Laurasie Vaste *continent* qui couvrait l'hémisphère nord au *Jurassique*. Les continents actuels qui composaient la Laurasie sont l'Amérique du Nord, l'Europe et l'Asie.

lave Roche brûlante éjectée par les volcans.

limite KT Époque qui sépare la fin du *Crétacé*, il y a 65 millions d'années, du début du *Tertiaire*. C'est durant cette période que de nombreux groupes d'animaux, y compris les dinosaures, ont disparu.

magma Roche brûlante en fusion qui se trouve à l'intérieur de la Terre.

maniraptors Groupe de *théropodes* comprenant les *dromaeosaures* et les oiseaux. Ils se caractérisaient par le petit os en forme de demi-lune de leur poignet.

manteau Couche rocheuse épaisse située sous la *croûte terrestre*. Elle est en partie solide et en partie en fusion.

marginocéphales Groupe d'*ornithischiens* qui possédaient un rebord osseux à l'arrière du crâne.

Mésozoïque Ère qui s'étend de - 250 à - 65 millions d'années. Elle se divise en trois périodes : le *Trias*, le *Jurassique* et le *Crétacé*.

migration Déplacement d'une *espèce* vers d'autres régions à certaines époques de l'année, pour chercher à manger ou à avoir plus chaud.

momification Conservation des parties molles d'un animal mort, comme sa peau et ses organes.

néocératosaures Groupe de *théropodes*. La plupart d'entre eux étaient des *prédateurs* de moyenne ou grande taille, possédant quatre doigts aux mains. Un grand nombre d'entre eux arboraient des cornes sur la tête.

omnivore Animal qui se nourrit à la fois de viande et de végétaux.

ornithischiens Un des deux principaux groupes de dinosaures. Le bassin des ornithischiens était semblable à celui des oiseaux actuels.

ornithomimosaures Groupe de *théropodes* végétariens, aux pattes postérieures longues et puissantes, qui étaient sans doute les coureurs les plus rapides.

ornithopodes Groupe important d'*ornithischiens* qui se déplaçaient à deux ou quatre pattes. Ils étaient tous *herbivores* et dotés d'un bec.

oviraptors Groupe de *théropodes* semblables à des oiseaux, couverts de plumes et dotés d'un bec. Ils vivaient au *Crétacé*.

pachycéphalosaures Groupe d'*ornithischiens* à crâne épais. Ils étaient *herbivores* et *bipèdes*.

pachypleurosaures Groupe de petits reptiles marins semblables à des lézards, dotés d'une petite tête, d'un long cou, de membres semblables à des pagaies et de pattes palmées. Ils sont apparus au *Trias* moyen et ont disparu à la fin du *Trias*.

paléontologue Spécialiste des *fossiles*.

Pangée Vaste *continent* qui existait au début du *Mésozoïque*. Il s'est désagrégé progressivement pour former les continents actuels.

Panthalassa Vaste océan qui couvrait les deux tiers de la surface de la Terre au début du *Mésozoïque*.

piste Série d'empreintes de dinosaures découvertes ensemble.

plaque tectonique L'un des énormes morceaux de roche qui forment la surface de la Terre. Les plaques se composent de la *croûte* terrestre et de la partie supérieure du *manteau*.

plésiosaures Groupe de reptiles qui vivaient dans les mers et les océans au *Mésozoïque*. Ils possédaient une queue courte et quatre nageoires. Il y avait deux sortes différentes de plésiosaures : ceux à long cou et ceux à cou trapu, appelés *pliosaures*.

pliosaures Type de *plésiosaure*. Les pliosaures possédaient un cou trapu, une tête énorme et des mâchoires et dents puissantes. Ils vivaient au *Crétacé*.

pont terrestre Lien terrestre entre deux *continents*.

prédateur Animal qui chasse d'autres animaux pour s'en nourrir.

proie Animal chassé par d'autres animaux qui s'en nourrissent.

prosauropodes Groupe de *saurischiens* surtout *herbivores*, dotés d'un long cou et d'une longue queue. Les prosauropodes sont parmi les dinosaures les plus anciens que nous connaissions. Ils ressemblaient beaucoup aux *sauropodes*, mais n'étaient pas aussi grands.

ptérosaures Reptiles volants qui vivaient au *Mésozoïque*.

quadrupède Qui possède quatre pattes.

rayons X Rayons capables de traverser les corps solides. Ils peuvent être utilisés pour produire des images de l'intérieur des objets.

résine Liquide épais et poisseux provenant de végétaux et d'arbres. En général transparente, elle est de couleur jaune ou brune.

restes fossiles *Fossile* des parties dures d'un animal, comme ses os ou ses dents.

rift Vallée formée par la séparation de deux *plaques*. La *croûte* qui les unissait s'effondre pour former une vallée large et profonde.

roche du Weald Roche d'une région du sud-est de l'Angleterre.

roche marine Roche *sédimentaire* qui s'est formée sous les mers ou les océans.

roche sédimentaire Roche composée de fragments de boue et de sable. La roche sédimentaire se forme quand ces fragments se déposent au fond de la mer ou d'une rivière et qu'ils sont comprimés progressivement pour former une roche dure.

saurischiens Un des deux principaux groupes de dinosaures. Les saurischiens possédaient un bassin semblable à celui des lézards actuels.

sauropodes Groupe de *saurischiens herbivores* à long cou et à longue queue. Les sauropodes sont les plus grands animaux terrestres qui aient jamais existé.

sauropodomorphes Groupe de *saurischiens quadrupèdes* surtout *herbivores*, à long cou et à longue queue. Les sauropodomorphes se divisent en *prosauropodes* et *sauropodes*.

sédiment Fragments de boue ou de sable.

sélection naturelle Survie de végétaux ou d'animaux dont les caractères leur permettent de survivre dans un environnement particulier. Ils transmettent ces caractères à leurs descendants.

spinosaures Groupe de *théropodes*. Certains d'entre eux se nourrissaient de poisson.

stégosaures Groupe d'*ornithischiens quadrupèdes*. Ils étaient *herbivores* et possédaient des plaques osseuses dressées sur le cou, le dos et la queue. Certains avaient des pointes sur la queue et les épaules.

Tertiaire Période s'étendant de - 66 à - 1,8 millions d'années. Le Tertiaire a succédé au *Crétacé*.

Téthys Océan qui occupait, au *Mésozoïque*, l'emplacement actuel de la Méditerranée.

thérizinosaures Groupe de *théropodes herbivores* découverts en Asie et en Amérique du Nord. Ils possédaient des plumes sur le corps et d'énormes griffes aux mains.

théropodes Groupe de *saurischiens bipèdes*. La plupart d'entre eux étaient *carnivores*. Ils étaient très rapides.

thyréophores Groupe d'*ornithischiens* comprenant les *stégosaures* et les *ankylosaures*. Ils étaient *quadrupèdes* et possédaient des plaques ou des pointes osseuses sur le corps.

titanosaures Groupe de *sauropodes* qui possédaient des plaques osseuses épaisses dans la peau.

trace fossile *Piste* ou empreinte fossilisée laissée par un animal ou un végétal.

Trias Période qui s'étend de - 250 à - 208 millions d'années.

troupeau Groupe d'animaux qui vivent et se nourrissent ensemble.

tyrannosaures Groupe de *théropodes* qui vivaient au *Crétacé*. La plupart d'entre eux étaient énormes et possédaient de grandes dents, de longues pattes postérieures et des bras minuscules.

vol battu Vol effectué en battant des ailes plutôt qu'en planant.

Réponses au quiz des pages 116-117

Épreuve des images

1. a. théropode
2. c. théropode
3. b. dromaeosaure
4. b. Crétacé

Épreuve de survie

1. a. Les cératopsiens sont herbivores et ne t'attaqueront pas, mais Albertosaurus est un prédateur meurtrier.

2. a. Prends la fuite. Tu es le dinosaure le plus rapide et Tarbosaurus a peu de chances de te rattraper.

3. b. Reste où tu es. Comme tu es petit, tu n'auras pas l'énergie de faire un long voyage vers une contrée plus chaude.

4. a. Va te mettre en sécurité dans le troupeau. Malgré ta taille, Allosaurus est capable de t'attaquer si tu es seul, mais il a peu de chances de s'approcher d'un troupeau.

Quiz rapide

1. herbivores
2. l'Antarctique
3. en Amérique du Nord
4. Microraptor
5. des paléontologues
6. en Chine
7. des hadrosaures
8. ils ont disparu à la fin du Crétacé, il y a 65 millions d'années

Index

Remerciements

Nous nous sommes efforcés, dans la mesure du possible, de retrouver les propriétaires des copyrights. L'éditeur propose de rectifier dans les éditions suivantes toute omission dont il sera informé. Il remercie les personnes et organisations suivantes d'avoir donné la permission de reproduire leurs photographies (h=haut, m=milieu, b=bas, g=gauche, d=droit) :

Couverture (h) © Roger Harris/Science Photo Library, (b) © Gary Hincks/Science Photo Library ; **p. 1** © Richard T. Nowitz/CORBIS ; **p. 2** © François Gohier/Ardea London ; **pp. 10-11** © Pat Canova/Index Stock Imagery ; **pp. 14-15** © François Gohier/Ardea London ; **p. 15** (bd) P. J. Green/Ardea London ; **p. 16** (b) Spécimen, avec la permission de Gaston Design. Photo © François Gohier/Ardea London ; **pp. 16-17** © Sue Clark/Alamy ; **p. 17** (hg) © François Gohier/Ardea London ; **pp. 18-19** © Dutheil Didier/CORBIS SYGMA ; **p. 19** (hd) © Layne Kennedy/CORBIS ; **p. 20** © AP Photo/Siddiqi Ray ; **p. 21** © O. LOUIS MAZZATENTA National Geographic Image Collection ; **pp. 20-21** (fond) © Digital Vision ; **p. 22** © The Natural History Museum, Londres ; **p. 23** (h) © The Natural History Museum, Londres, (bd) © Witmer/Parsons ; **pp. 22-23** (fond) © Digital Vision ; **p. 24** Avec la permission d'Universal Studios Licensing, LLLP THE KOBAL COLLECTION/ AMBLIN/UNIVERSAL, (md) © MC LEOD MURDO/CORBIS SYGMA ; **p. 25** (h) © François Gohier/Ardea London, (b) © Tim Flannery ; **pp. 26-27** © Francesco Reginato/The Image Bank ; **pp. 28-29** © Galen Rowell/CORBIS ; **p. 29** (b) © The Natural History Museum, Londres ; **pp. 30-31** (fond) © Digital Vision ; **p. 38** © Kevin Schafer/CORBIS ; **p. 39** (hd) © Kennan Ward Photography/CORBIS, (b) © François Gohier/Ardea London ; **pp. 40-41** © CORBIS ; **p. 41** (hd) © Sanford/Agliolo/CORBIS ; **p. 42** (h) © Roger Ressmeyer/CORBIS ; **p. 43** © Martin Harvey ; Gallo Images/CORBIS ; **p. 44** © The Natural History Museum, Londres ; **p. 45** (bd) © J. J. Brooks/Aquila ; **pp. 46-47** © Scott T. Smith/CORBIS ; **p. 48** © François Gohier/Ardea London ; **p. 49** (m) Images de Barbara Summey, NASA GSFC Visualization Analysis Lab, basées sur les données Landsat 5 fournies par le laboratoire de physique terrestre ; **pp. 52-53** © Hubert Stadler/CORBIS ; **p. 53** © Andrew A. Skolnick, prise au Field Museum, Chicago, (hd) © psihoyos.com ; **p. 57** (h) © François Gohier/Ardea London ; **p. 58** (m) © James L. Amos/CORBIS ; **pp. 58-59** © The Natural History Museum, Londres ; **p. 60** (h) © Jan Butchofsky-Houser/CORBIS ; **p. 61** (d) © The Natural History Museum, Londres ; **p. 62** (md) © François Gohier/Ardea London ; **p. 63** (b) © Kevin Schafer/CORBIS ; **pp. 66-67** © O. Alamany & E. Vicens/CORBIS ; **p. 71** (h) © PHOTOPRESS WASHINGTON/CORBIS SYGMA, (b) © 2000 Patricia Kane-Vanni ; **p. 73** (bd) © The Natural History Museum, Londres ; **p. 75** (h&b) © The Natural History Museum, Londres ; **pp. 76-77** © Tom Bean/CORBIS ; **p. 76** (bd) © The Natural History Museum, Londres ; **p. 78** (hd) © Nik Wheeler/CORBIS ; **p. 82** (md) © O. LOUIS MAZZATENTA National Geographic Image Collection ; **p. 83** (g) © The Natural History Museum, Londres ; **pp. 84-85** © François Gohier/Ardea London ; **p. 87** (h) © The Natural History Museum, Londres ; **pp. 90-91** © PETER MENZEL/SCIENCE PHOTO LIBRARY ; **p. 93** (b) © William R. Hammer, Fritiof Fryxell professeur de géologie, Augustana College, Rock Island ; **p. 95** (hg) © François Gohier/Ardea London ; **p. 96** (h&b) © The Natural History Museum, Londres ; **p. 97** (hd) © American Museum of Natural History ; **p. 99** © François Gohier/Ardea London ; **p. 100** © Nathan Benn/CORBIS ; **pp. 102-103** (fond) © Digital Vision ; **p. 104** (g) © DUTHEIL DIDIER/CORBIS SYGMA, (m) © AP Photo/Karen Tam ; **p. 105** Willem J. Hillenius ; **pp. 106-107** © Jim Zuckerman/CORBIS ; **p. 108** (hg) © The Geological Society/NHMPL, (m) © The Natural History Museum, Londres, (bd) © Bettmann/CORBIS ; **pp. 108-109** © DUTHEIL DIDIER/CORBIS SYGMA ; **p. 110** (g) © Gunter Marx Photography/ CORBIS, (m) © The Natural History Museum, Londres, (bd) © Bob Krist/CORBIS ; **p. 111** © Bill Varie/CORBIS ; **p. 114** © The Natural History Museum, Londres ; **p. 115** (bg) © François Gohier/Ardea London, (hd) © Mike Hettwer, image fournie par Project Exploration ; **pp. 114-115** (fond) © Digital Vision ; **p. 116** (bg) © Pat Morris/Ardea London, (m) © Tom Bean/CORBIS, (d) © 1998 Fossilworks, Inc. Tous droits réservés. **pp. 118-135** (fond) © Digital Vision.

Directrice de la collection : Gillian Doherty.   Maquette de la collection : Mary Cartwright.
Maquette de la couverture : Stephen Moncrieff.
Traitement numérique des images : John Russell et Isaac Quaye.
Cartographie : European Map Graphics Ltd. Petites cartes : Mike Olley. Remerciements à Alice Pearcey.